戴國煇全集 

採訪與對談卷・六

◎未結集4：談中日文化

目次

contents

未結集4：談中日文化

輯一　客家華僑探究

矜持自己的出生，不被吸收也不敵對／劉靈均譯　005
——華僑教育論
為傳承客家精神盡心／章澤儀譯　009
——參加舊金山客家大會座談會
民族與文化／謝明如譯　023
——國際社會中的日本鼎談會
被喻為波西米亞人／章澤儀譯　045
——華僑所成就的文化經濟足跡
改變中的婦女角色／劉淑如譯　049
——伊斯蘭・中國・日本的性與家族座談會
重新燃起對民族統一之願望／謝明如譯　065
——回顧華僑「客家」世界大會座談會
精確張望四方的「吹牛大王」／李毓昭譯　073
——內村剛介vs.戴國煇

何謂近代國家、國籍、民族、國民、公民／蔣智揚譯 103
——中國國籍法制定的意義與背景座談會
中國社會的今日與明日／蔣智揚譯 135
——六中全會前後的中國政治・經濟座談會

輯二　中日文化比較

日本文化面面觀／李毓昭譯 161
——外國人教師談立教大學座談會
中國東南亞政策之變遷／蔣智揚譯 185
——從九三〇事件至中越戰爭
深入踏查中國庶民生活／蔣智揚譯 205
——認識日本與中國的不同鼎談會：相互理解的可能性是……
有想了解中國的文教族嗎？／陳仁端譯 231
思索1980年代的大學：亞洲與日本／李毓昭譯 237
——思考今後日本的大學任務座談會
亞洲和平的推手／劉淑如譯 265
——被分割國家的人民對日本的要求座談會

譯者簡介 285
日文審校者・校訂者簡介 287

戴國煇全集 23

採訪與對談卷・六

未結集4：
談中日文化

翻　　譯：李毓昭・章澤儀・陳仁端
　　　　　蔡秀美・劉俊南・劉淑如
　　　　　劉靈均・蔣智揚・謝明如
日文審校：于乃明・吳文星・邱振瑞
　　　　　林水福・林彩美・張隆志
校　　訂：陳瑋芬

輯一

客家華僑研究

矜持自己的出生，不被吸收也不敵對
——華僑教育論

◎ 劉靈均譯

即便是優秀的學者，只要是外國人就不可能成為日本的國、公立大學的教授。因此，外籍大學教授大多在私立大學任教。希望法律修正，讓國、公立大學也能錄用外籍教授的呼聲日益高漲。

戴國煇先生（47歲）是立教大學教授。在一橋大學、學習院大學也有兼課，主要教授東洋史、華僑史，也是一位研究東南亞華僑的學者。

為了聽聽對華僑子弟的教育意見，我們拜訪了位於東京杉並區宮前戴教授的府上。進了玄關，門口的牆壁上寫著「梅苑料理研究室」的大大看板，這是戴林彩美夫人每個月一次教朋友們一起做中華料理，一邊吃自製的料理、一邊聊天抬槓的看板。

苦惱於自己是哪國人

戴教授出生於台灣中壢，祖先來自於廣東省梅縣。小時候在說著客家話和閩南話的環境中長大，在日本人的小學〔譯註：指公學校〕、中學學了日語。初中二年級時日本敗戰，學校教育改成北京話。之後他來到日本，在昭和40年（1965）修畢東京大學研究所博士課程，成為亞洲經濟研究所的研究員。

過去他曾經煩惱過，「我學會客家話、閩南話、日語、北京話、英語。可是在學生時代，我即便可以用中文寫做學問的論文，卻還是看不懂文學作品。我到底是哪國人呢？」他說：「雖然也有人自豪於通曉多國語言，但這件事情並非毫無壞處。確認『自己的語言』是哪一種很重要。我在研究所時期，曾有過在東京的中華學校兼任講師的經驗。中華學校和那些在海外生活的貿易公司員工或大使館相關人員在外國開設的日本人學校是有些不一樣的。」

沒有壓迫卻也沒有機會

「在日華僑以日語做為生活語言，學習中文做為第二語言，試圖學習中國文化或風俗、思想等。此外日本華僑與東南亞華僑的處境也不同。在東南亞有許多國家對於華僑的中文教育實施嚴厲的限制。

「在多元民族集團的國家之中，要以哪個語言做為其基調總會造成問題。因為對華僑感到畏懼，所以不想以中文為基調，因此想加以限制、迫害、壓迫的力量在作祟。在日本因為夠安定所以無庸擔心，然而即使學習中國話和中國文化也沒有活用的機會，相反地有被日本文化吸收之虞。」

即便如此，在日華僑仍然對在學校畢業之後就幾乎用不到的中文或者民族教育投注極大的熱情。今年有兩位橫濱華僑的子弟，為了深入探討中國的學問而回到本國的大學留學。

「日本（俗稱）是單一民族，對於異民族採取較為封閉的態度。這對於日本人的國際化產生了負面的影響。雖然就連本質相異的華僑也變得像日本人了，包括要去台灣留學，要把留學生派到中國非常好。如果他們回來，就能夠把他們所體驗的、新的、中國式的觀點和思考方式介紹給日本的青少年知道，並且互相交流。這對日本一定相當具有正面作用。」

戴教授暢談兩小時後，對今後的華僑教育作了如下結語。

落實雙重語言教育

「希望中華學校能夠更加充實內容。應該要指導他們製作中國服飾、中華料理或者中國甜點吧。然而不要在中國話或者民族教育上出力過多，讓孩子們無法考上日本的高中、大學就不好了。要如何突破雙重語言教育帶來的負擔，在課程設計上必須要進行研究。

「對於在日華僑的子弟而言，最重要的就是要對自己的身世感到驕傲。那並不是要反抗、敵對於日本社會，而是要自覺自己是少數分子，不要鑽逃進日本人裡面生活。即便是中日混血的人，也應該擁有中國人的驕傲與勇氣。我也希望日本社會能夠大方接受這些在日本人中努力生活的中國青少年。」

本文原刊於《朝日新聞》，1979年2月21日。爲「華僑——神奈川の中國人」專欄內文章

爲傳承客家精神盡心

——參加舊金山客家大會座談會

◎ 章澤儀譯

時間：1978年11月4日

地點：大阪壽樂大樓

與會：邱添壽（關西崇正公會會長）

邱進福（東京崇正公會會長）

謝坤蘭（關西崇正公會總幹事）

李壽輝（東京崇正公會理事）

林利章（東京崇正公會理事）

李雲金（關西崇正公會員）

林細辛（關西崇正公會員）

吉田達司

主持：戴國煇（東京崇正公會理事，立教大學教授）

戴國煇（以下簡稱戴）：百忙之中，各位都辛苦了。我想請參加舊金山大會的各位發表感想，請提出意見或是批評。

首先請邱添壽會長致詞。

客家大會首重相聚

邱添壽（以下簡稱邱添）：感謝東京的邱進福會長率關東地區各幹部不遠千里而來。客家世界大會如今已是第四度舉辦，我們熱忱有餘，唯獨努力仍不足以使這份熱忱「開花結果」。後年的第五屆大會將在日本舉辦，希望諸位年輕一輩能發揮創意，把大會辦得更精采、締造更多成果。至於經費，因有各位協助，我想應該沒有太大的問題。

戴：謝謝邱會長。正如會長所說，大會首重相聚，我們願盡一切努力匯集並發揮大會之成果。關於這一點，東京的邱會長是否有指教？

邱進福（以下簡稱邱進）：在大會營運方針決定之前，我們有必要總結參考第一屆以至本屆舊金山大會之經驗。

其次，我們第一代都已年過55歲，因此能在日本招待世界各地的客家，後年恐怕是唯一機會。在此意義上，我個人願意在日本大會傾注全力，做最後的努力。恕我直言，我覺得以往的大會都流於乾杯大會，只講求熱鬧，無法將客家精神傳承給下一代。

在本次大會中，我最推崇的是，美國的會長嚴正地宣示了此次大會絕不摻入任何政治色彩。事實上，我希望各位能注意到，在歷屆大會之中，以本次的政治色彩最為淡薄。我絕不會讓任何政治力量滲入在日本舉行的大會。這項活動原以親睦為目的，這也是我們一貫的原則，不可妥協。

戴：東京會長的意思是，我們必須更有效且務實地秉持「政治不介入」的原則。接著，關於世界大會的宗旨，請謝坤蘭先生講幾句話。

謝坤蘭（以下簡稱謝）：前面的兩位會長已經說得很清楚了。

回顧過去四屆大會，宗旨雖佳但作法未必盡如人意。探討如何記取這些經驗和缺點、如何克服應成為課題。以往的大會僅以親睦為目的，如此是否周全，或許也有必要藉此機會思考一番。

至於世界大會的宗旨，既然名稱是「懇親大會」，因此促進「彼此的情誼」十分符合要旨。可是在我出席以後，卻覺得在懇親方面，大會只達到兩成效果。下一屆將於日本舉行，我們要把大會辦得讓與會者感受到去了日本真好，這才是大會真正的作法。

舊金山也讓人有所微詞。空有決議，卻毫無執行。

要提醒大家，直到日本大會舉行之前，我們需提出問題，並做啟發，要求總會對第五屆大會做出決議及具體指示執行方法，否則總會的影響力將會愈來愈薄弱。

藉本屆大會為一轉機，我們必須思考與摸索日本崇正總會的新宗旨。以往有兩位邱會長暨各位理事領導，自設立以來皆以「團結」為號召，內外均獲極高評價，然而這種方式必須有所改變，否則第二代恐怕會完全的遠離我們。我們必須讓總會脫胎重生，使得第二、三代的客家青壯年願意主動參與。就這一層意義上，第五屆大會將是一大轉機，值得好好運用。同時，我也希望下一屆大會能為世界各地的客家做良好示範。

戴：再來請東京的李壽輝先生發言。

李壽輝（以下簡稱李壽）：兩位會長與謝先生的一席話令我

銘感五內。四屆大會我都參加過，卻是有諸多不滿。我想第五屆必將成為轉捩點。拋開財政問題不談，除了向世界各國的客家人介紹日本，也讓參與者認為這將展現出日本的客家人的確辦得很好的一個大會。

林利章（以下簡稱林利）：我是第一次參加大會，對過去的事情並不清楚，也第一次到美國，但覺得美國客家人做事極為務實。我希望日本大會能實現三個滿足，即來了滿足、參與滿足、回憶也滿足。

李雲金（以下簡稱李雲）：住在日本的我們要先思考如何運用本身優勢。我們既能遵守政治上的中立，也不必利用大會組織圖謀事業的發展和賺錢機會。

和別處相比，我們對「團結」的要求並不迫切，我認為這也是參與大會之吸引力漸減的原因之一。誠如謝先生所說，第二代、第三代恐怕不肯跟隨我們的腳步，所以我仍然認為，將來要更盡力提高大會的親睦性。

林細辛（以下簡稱林細）：主旨既已決定，就看組織如何動員，並使大會能循全體的意願去辦得很成功的課題了。

戴：我簡單整理各位的意見：各位都為了能在兩年一度的世界大會上重聚而感到高興，而這一點也是世界大會最大的好處，謝先生則質疑它是否只局限於懇親。在大會結束後，日美之間、日本與沙巴（Sabah）之間的鄉親是否建立起新的關係，或強化了連帶關係，似乎仍是未知數。這一點應如何補救，是我們的一大課題。

同時，最大的缺失仍在於「言而不行」。我和邱添壽會長、邱進福會長三人曾在三藩市接受電視訪問，談到下一屆日本大會的營運方向時，用國語提出了三個口號。

一是「不做表面功夫」，二是「不寫表面文章」，三是「不講空洞虛話」。這三項要點應該和方才前輩們的指教一致。

然而，一如李雲金先生所說，僑居日本的鄉親應該保有相對的獨特性。在日本的我們籌備大會，必須及早整理出暨往大會的缺點和不充分之處，事前克服才行。

接下來，我想把話題集中一些，請各位談談本次舊金山大會與過去三屆的不同之處。反映中國大陸與美國的關係，本次大會致力避免政治問題的涉入，各位都注意到了。除此之外，還有別的嗎？

提升親睦力・吸引新世代

李雲：前三次大會的作法都差不多，只是依樣畫葫蘆，了無新意。依我所見，我們不必報告各僑居國的概況，把它製成刊物派發就好。更可以增加個人與個人之間的接觸機會，增加諸如名片交換會之類的活動。而且，致辭時間太久了。

戴：李先生所言正是。其實在大會上，謝先生、張火旺先生和我曾提出兩個議案，原以為能拋磚引玉、促使大家討論，想不到沒有反應，所以只好留到日本大會時再來重做，就不再提了。

大會不能流於回憶過往，最重要的是如何確實串連過去、現在及未來；我希望能將大會的主軸從只沉浸在過去。進而連結到現在，更應該延伸到未來。

我在舊金山大會上注意到的，是來自日本的代表們頗具氣魄，其他代表則稍遜。我想，我們能利用這一點在1980年的大會中，激勵客家同胞。

邱進：過去幾屆大會的發言往往只是形式，沒有建設性的討論，所以各國代表報告近況之舉可以省略，只要事前提交各地區的近況說明，印成手冊分發給出席者就好。

我希望大會能吸引更多第二代加入。一如戴先生所說，大會若不能展望未來，再怎麼費盡心力亦是枉然。

要聚集年輕人，各國固然都要努力，但在日本的鄉親是不是應該率先反省自己的作法，致力於啟蒙呢？

戴：我在大會上最感不快的就是客家人自吹自擂，有褒無貶。

李雲：關西崇正會就是如此。把客族親睦當成天大的學問來吹捧、誇耀，用些學術性的事物來自我陶醉。我們應該常保初衷，記住敦親和睦的出發點。若我們不能在這一點上自我反省，發揮「愛」的心意與精神，恐怕組織的發展將不進反退。這一點令我擔心。

戴：一個不能自我批判的組織將沒有展望。謝先生，您認為呢？

謝：不光是組織，這一點也同樣適用在個人。我們不妨回顧這個弊病的演變。以往的「懇親大會」並沒有中心議題，只要能藉大會之名行出國旅行之實，台灣的客家鄉親就滿意了；相較之下，在這一點上，日本的客家鄉親是最挑剔的。

戴：是不是因為日本比較近代化呢？

謝：是的，也就是會從目的性去思考。至今的大會沒有明確主旨，目標繁瑣，使人混淆。

「懇親大會」下兼有「金禧大典」活動，等於兼作他們的會慶，聽說，他們也會邀請適逢金婚與銀婚紀念的夫妻共襄慶賀。既是受邀請，我們不好批評，但在日本，鄉親們會主張「別把政治性帶進大會來」。

不過，台灣卻不是如此。就某種意義而言，政治反而成為一個值得討論的焦點。各國崇正會的創立目的和歷史背景互異，所以我們不應該一概而評之，但要如何具體營運該會，就是個問題了。談論政治既然無濟於事，乾脆來這兒共飲一杯歡度時光，說不定也是個好辦法，只是那樣未免流於低層次，恐怕還會落得讓下一代恥笑。慶祝大會若能有成果，也算是有所貢獻，事實上，以往的大會皆未達成具有建設性的目標，不免令人感到一絲遺憾。

因此，我期盼能不負會員繳交的血汗錢。「目的」應力求鮮明，大會的主題必須明確。若要全力提升親睦力，我們就下工夫研究出更好的方法；若要讓父親能昂首挺胸地敦促子女們參加，我們應當要擬出吸引新世代的計畫。

李濤：現在離日本大會還有兩年，我們不妨先成立婦女部、青年部，尤其是青年部。

謝：正因為大會的目的始終不明確，遠從日本去參加本次大會的人大多感到失望。我們得先把日本大會的目的訂清楚，否則恐怕難以取得在日客家的協助。因此，我們必須先決定大方向。

戴：眼下的首要目的，就是在日本舉辦懇親大會，把此會的目的明確化，來整理出口號與綱領。其次，既然要花這麼多錢，我們除了獲得大會的成果，也得順便藉這場大會為跳板來促使日本崇正總會的提升和發展。

說到這裡，首要問題就是，從最低到最高的綱領該如何明確列載，並且該聚焦於什麼議題。

李雲：首先，當然以提升親睦為第一要務。

戴：話雖如此，但剛才也有人表示，致辭的時間太長⋯⋯。

李雲：組成小委員會來討論細節吧。

戴：大會的唯一收穫是親睦，但各位代表對此也深感不滿。這個缺點應如何改進，還請您惠賜高見。

李雲：我參加過多次大會，卻不認識他們。只要提高大會的親睦功能，做貿易就會順利。無論是私人交情或通商，親睦的人際關係都是最重要的。客家鄉親的潛在力至今仍不能充分發揮，很是遺憾。

戴：就整體而言，日本的客家會是最有凝聚力的。下一屆的日本大會或許能展現新風貌。

謝：口號過多反而無法實行，我們盡量把它濃縮成三項就好。就像李先生所說的，散會後，我們要如何保持聯繫，並提出具體方案與口號。

其次，為了鼓勵新生代參加，我們要想出積極具體化的方案，以口號提出。更進一步，讓他們看到日本才回去。不是單純的觀光，而是觀摩產業和文化。我認為，單單達成以上三項便堪稱成功。

假設一開始就將目標鎖定上述三項，政治力也不易介入。

李雲：關於第二代的問題，我的看法比較悲觀。我敢說，大多數的第二代都認為上一代的作為是上一代的事，不願意扯上關係。這一點或許是家庭教育的失敗，但是他們清楚地說我們客家會缺乏吸引力。以關西為例，我們在青年會和婦女會都做過嘗試，實在不容易做到使大會有魅力。

邱添：關於第二代的問題，首先是雙方語言難溝通。很多孩子的母親是日本人，自然不會帶孩子來參加客家會。

戴：以我在中華學校任教，以及大學時擔任同學會會長的經驗而言，這一點絕不是家庭教育的問題。若在美國，膚色就能清楚的劃分出人種之別，是可以不同的種族懷有各自的尊嚴生活下去的，兼容並蓄的社會，但在日本就特別困難，而且日本人的數量占壓倒性多數，又同樣是東方面孔，容易隱身，孩子們也不願意與眾不同，只想和日本籍的朋友們一樣。如今我們又被分成大陸與台灣，日本的報紙不寫蔣介石好，寫到大陸又說四人幫如何鬥爭，若我們站在年輕人的立場來想，他們當然不敢戴著中華學校的帽子在街上走。說起來，都是國民黨動輒批判大陸，而日本的報紙也都寫台灣的壞話。可憐孩子們處在這樣的社會裡，不能以自己的出身為榮，而隨著潮流走。

之前的東京年度大會上，我請東大教授去演講，為的正是啟發日本籍夫人們的觀念，也希望能讓孩子們明白，有個日本老師在研究客家的歷史。至少，這一點在我的孩子們身上起了作用。

對各位夫人及子女們而言，至今的聚會只是餐宴和摸彩活動，意義不大。我正思考在東京發起春季或秋季運動會。

還有一點，那就是《客家之聲》上的客家史及人物傳記等連載文章，可以藉大會名義收編成冊。閱讀這些資料能幫助下一代和他們的母親了解客家的起源、歷史和歷代人物及其事業。

謝：這得要很有耐心才行。

舉辦世界大會時，請來自外國的鄉親住在我們家裡，讓孩子們學著用英文招待他們。藉這樣的機會，促使家庭之間的互動，也是一項創舉。從這一層開始做起，孩子們會更有國際觀。

我們這一輩之間的結合之所以困難，是因為大家都有錢。若是窮人之間相聚，他們的第二代結合會更快速。現在的年輕人不必節省、存錢，又比上一輩懂得玩樂，對這樣的年輕人，只能用有形的物體吸引他們加入。不如盡快蓋一棟大樓，開闢一個可供聚會的中心，如此更能團結。

現在的日本什麼也沒有。一年聚會一次或兩次，沒有效果。我希望東京或大阪能盡早興建會館。

興建客家會館・傳承客家精神

戴：東京的會長好像提過共同大樓的構想？

邱進：在談大樓的問題之前，我要針對第五屆大會提出意見。我們將在大會舉辦的一年前寄發「告全世界的客家人」通知函，說明我們在日本的作法，並積極呼籲各位提供構想。

其次，徵集少年人才是有必要的。我們要促進大會的近代化，使營運方式更趨近年輕一輩。

在這之前，我們需要一個聚會的場所，初步構想是先成立合作社，有了足夠的基金後，再購置大樓。我們會去尋找適合的大樓，到時或許思考商務旅館的經營模式，為客家的鄉親提供住宿。我希望盡可能在世界大會舉辦前辦妥，讓日本崇正總會擁有總會大樓。以可見的形式展現客家能力有其必要，相對的，我們恐怕也得為第五屆大會做點犧牲，但至少比為子孫留一片美田更有意義。至於籌募到的資金，我希望能研擬出有效的運用之道。

戴：我在1969年造訪東南亞，那兒當時只有兩座會館在實際運作，一座是馬來半島怡保的嘉應會館，另一座是位於曼谷市的客屬會館，其餘只是麻將館而已。

夏威夷的新中國城裡有個文化中心，聚集在那裡的人卻也是整天打麻將。若是如此，我想年輕人是不肯去的。

問題不在於會館的存在，而在我們如何保持它的活力。我們可以創立合作事業，負責維持會館的經營；若是合作社運作順利，也可用合作社的名義購置大樓。就我個人認為，我們擬定的計畫必須審慎考量到中國在全球將居於何種地位？中日關係在今後20年會有什麼樣的變化？還有，我們的下一代在世界趨勢中，又會用何種觀點來審視中國呢？——這二、三十年來，中日關係好轉，日本經濟起飛，我們必須搭上這班順風車，這是其一；其二，日本人對中國的印象將由負面轉為正面，中國、台灣若都發展順利，日本人對中國人的觀感也會變好，或許能在1980年代購置共同大樓。簡單地說，就是大家來認股；我的具體想法是，打造一座具體而微的中國城，去除老舊骯髒，使它近代化，在現代化的大樓裡，呈現多樣化的中國特色。人們去到那裡，就能品嚐中國的各種料理，買書本、家具、古董，還可以加入針灸或太極拳等場館，或是教授中文，吸引年輕人前來。

中國人不敢抬頭挺胸的時代即將改變。當然，前提必須是中國也要行得正、坐得穩，屆時不只是日本人得另眼相看，全世界都得另眼相看。我將這樣的展望寄託在總會大樓的構想中。

吉田達司（以下簡稱吉田）：這是很棒的構想。東京的合作社若能突破15億規模，將是莫大的躍進。

此外，先前提到如何使客家聚會增添吸引力，讓我想到中國姓氏的使用問題。客家鄉親相見既不問國籍，為什麼不准使用日本名字呢？若不能使用日本姓名，要如何凝聚年輕人、使年輕人願意參與呢？無論國籍是日本、美國或是巴西，又何妨呢？只要他能保有自我的民族傳統與尊嚴即可。

戴：這點但憑參加者的判斷就可以。使用自己習慣的姓名亦無不可，但以第一代來說，唯有使用舊名才能相識相認，彼此互稱舊名，我認為也是一種親密的表現。

吉田：若要使合作社更加發展，不妨借助宗教法人的力量。還可以在興建大樓時特別設計。

邱添：傳授客家話並不容易。正如猶太人以宗教結合，我也希望客家精神能傳承。

戴：所以，我希望能把連載文集結起來，印成小冊子。

再回到姓名的使用上，目前有兩個問題。我聽說，向日本當局申請歸化時，當局會給予行政指導，這項指導同時牽連到日本社會的接納方式。另一點則是歸化者的心態問題，藉隱姓埋名來規避問題的人非常多，我們姑且不論是非，單從世界趨勢來看，我相信未來要取得外國國籍將不必再捨棄舊名。姓名也是人格象徵，既然主權在民，姓名問題遲早會解決。季辛吉、夏威夷州長有吉等人也都保留他們的舊名，一樣在美國政壇活躍。重點在於自己的「血緣」。一個人若對自己的「出生」不抱持自豪，這個人也沒有可取之處。匿名有時是必要的，但若展望人類的明日，藉匿名來逃遁的人必定是輸家，很難有所建樹。

吉田：前陣子，我想在立教大學成立華友會，但一使用舊姓，大家都跑光了。我並不排斥舊姓，只是年輕人不能接受。

邱進：說來慚愧，我的女兒保有中國籍，也隨邱姓，但從小學到大學，對外都以內人的姓氏自稱。她不想承受歧視性的眼光，所以出此下策。

邱添：這個現象確實存在。我的孫輩起初也為此猶豫過，後來我向他們仔細解釋，說明中國的歷史，現在他們都結交了日本人和中國人的朋友，還常常請他們來家裡玩。

謝：我們不要刻意要求統一規則，應該讓大家有選擇姓名的自由。

吉田：不妨依照當事人的申請來決定。

謝：鄉親們要體諒才行。

戴：我剛才的意思是指從歷史發展來看，並不是堅持使用舊名。

邱進：客家會的會則裡也明訂，我們不問國籍、不問思想。

吉田：我有五個孩子，他們都接受六年以上的中文教育，當中也有人在立教大學專攻中文的。儘管他們的中文都很流利，卻習慣用新的日本名字與人往來。若用舊名字，他們都不習慣。

李壽：人人想法不同。我女兒就很喜歡這個姓氏，走到哪兒都以李姓自豪。

戴：耽誤各位寶貴時間。感謝各位今日前來。

本文原刊於《客家之聲》第3號，東京：日本崇正総会，1979年4月1日，第2～3頁

民族與文化
——國際社會中的日本鼎談會

◎ **謝明如譯**

與會：西山千明（立教大學社會學部教授）
　　　神島二郎（立教大學法學部教授）
　　　戴國煇（立教大學文學部教授）

編輯負責人：今日我想請三位學者以「民族與文化」、特別是「國際社會中的日本」為題目進行討論。

為何日本這個國家很努力，卻仍遭受國際社會的各種批判和責難，孤立狀態依然持續？我想試著究明其原因，並嘗試探及今後該如何因應之問題。三位學者皆具備豐富的經驗和邏輯思考，因此，無論從哪裡開始談起皆可。我們請一位先發言，然後從該處展開議論。

日本人是單一民族或混種民族？

神島二郎（以下簡稱神島）：今日確實有各種問題，但向來我所在意的，係所謂日本文化論、日本民族論、日本社會論等，事實上，我認為似有一嚴重阻礙國際性相互理解之論點。我想稍微談談此一課題。

此話怎麼說呢？在日本，單一民族、單一文化、單一社會論等論點迅速蔓延。一旦討論國際性比較等議題，論及日本時，一定有以「畢竟日本是單一民族之故」一句話作總結之場面。這對國際理解不知有多麼地阻礙，我這樣覺得。

若說那是為什麼，因說出此話者，早就明白「日本是混種民族、混種文化」這個所有日本人都知道的事情。既是混種民族，則顯然是多民族，而不應為單一民族。儘管如此，卻一方面承認日本為混種民族、混種文化，另一方面又說日本是單一民族、單一文化，實在是很混亂、毫無道理。我想這點恐怕要歸因於日本對外的官製意識形態。

這是因為明治以降，日本政府希望塑造單一國民國家之意圖而致力於追求，努力之目標遂在不知不覺間成為現實、化為意識形態，與實際上多民族、多文化、複雜的社會情況相反。深信日本是單一民族、單一文化、單一社會的外國人一旦來到日本，被迫從現實上得知所信與所聞之差異，應有受騙之感吧！難道不令人感到不協調嗎？

當然，相互接觸的外國人和日本人雙方皆訝異於此一不協調感，遂不得不詢問別人日本文化、日本民族究竟為何？隨之，若詢問單一民族論者，則感覺似乎又繼續再生產相同論點之惡性循環吧！各位以為如何？

西山千明（以下簡稱西山）：神島教授的發言相當有意思。

但聆聽教授談話，我對於所謂「官製」之論點抱有疑問。若單純的是官製意識形態則簡單，問題是在官製意識形態之前，畢竟還是日本社會某處（雖絕非全體）從日本社會中提供了官製意識形態的大致基礎及其所承載之情緒、思考方式等，而提供形成官製意識形態的條件吧！

然而，就其他面向而言，聽了您的發言雖有誠然如此之感，但我認為該意識形態實際上已成為一種法西斯。沒想到我國勞資關係、產業關係的專家們均指出日本的經營乃至於勞資關係之特徵係集團主義。此一說法在日本國內相互傳遞還可推測，若是這樣還好，一旦譯為英語或德語就非常糟糕了。不思考這個地方就隨便說的話，將造成困擾。

事實上的問題是，不說德國社會或蘇維埃全體，亦不說俄羅斯社會或英國全體，或說英語或法語社會，其任一者的單一性與日本人的單一性相較，何者較純粹而單一呢？從日語的非純一性而言，或許法語社會更單一也說不定。確實，在明治以降的歷史中，順利地揚棄日本浪漫主義的傳統，轉為官製意識形態，其過程中，民間與官方相互反饋，不知不覺間，何者為土生？何者為「接枝」？從哪裡開始是勉強的意識形態？必有無法區隔之地方吧！

不過，回到日本在國際上孤立化的問題，日本經濟若占全世界總生產的1%，則不會產生孤立等問題；人口只要有一千萬人左右，似乎就不會對他人造成麻煩，其存在亦不會被注意吧！但事實上，日本控制全球一成以上的生產，若排除共產圈的經濟，則幾乎占了四分之一的生產；人口則多達1億2,000萬人，雖然對日本人而言，此一數量是做為一個國家當然的規模，但看外國遑論1,000萬人、2,000萬人單位，還有100萬人單位的國家，可知日本的人口多得離譜，且日本的經濟活動以各種形式影響外國人的日常生活。必須接受此一事實。在此一意義下，不管有意無意日本的經濟生活，卻仍過著非常國際性的生活。

此一想法與剛才所述單一民族意識形態之事實沒有什麼關係，但其實際上推進了特殊且排他性的意識形態，這就不得不走向孤立。

戴國煇（以下簡稱戴）：我以前曾指出世界上沒有任何地方是「一個民族，一個國家」，所謂「一個民族，一個國家」，只是一廂情願的深信而已。問題是，日本人一面接受了自身係來自南北兩方的民族之混血的混種文化一事，但在現實生活中卻否認此一史實。其邏輯結構為何？非常有意思。

舉一淺近之例，日本的台灣殖民地政策之案例可供參考。台灣的少數民族有一名為「泰雅族」之族群。日本作家的著作中，有相當多的文學作品指出日本人的血緣與泰雅族相當接近。

一般的殖民地統治，殖民者必須徹底侮蔑、輕視對方、視對方為異教徒，始能進行統治。漢民族即我們的祖先前往台灣，將少數民族驅趕入山；統治時，玩弄少數民族之女子或納為妾，但絕不會說該民族血緣與自身相近。反觀日本人，卻毫不介意地口出此言。儘管如此，一旦發生抗日事件，統治當局則以其為野蠻人、獵頭族等為由進行彈壓。二次大戰終戰前夕，其又被以「高砂義勇隊」之形式動員，一夜之間被塑造為偉大的英雄，忽然使其體現大和魂之邏輯轉變。此一結構實在非常難以理解。

試以淺近之例與此一結構做比對。日本的運動實可清楚地區分為歐洲運動與日本本地運動，兩者並存；又，日本人即使外出時穿著西服，返家後，因榻榻米的生活習慣之故，仍過著穿和服的生活，顯示日本人擁有使不同文化完全地共存、無矛盾地處理之才能。做為現實的問題，音樂、戲劇也是如此。中國人是囫圇吞入新文化，打散其原形後再吐出，擁有塑造自身文化之強烈渴求。日本人則能將歌舞伎到新劇、新國劇、新派劇等戲劇無矛盾、相當程度地平行處理。關於此點若能善加說明，或許較容易理解。我雖然努力地思考過，卻尚未很理解，現在只能說相當巧妙。

神島：就此點而言，似乎是說「日本人的生活像是由各式各樣的材料做成的大鍋菜，經妥善管理」一般。這裡的話用這個，那裡的話用那個，向來分別使用各種事物。然而指出「質的方面必須全部統一」，或「若未單一化，則不能說十分地統一」等，其實是來自於在上位者的說法。因此，江戶時代係政權方面拒絕外來文化，一般民眾則是偷偷藏匿外來品。明治以降也是如此，文化雖然不斷地輸入歐洲文明，看起來卻像單一的型態，此亦實為政府單一化志向之緣故。

露絲・潘乃德（Ruth Benedict, 1887～1948，著有：*The chrysanthemum and sword*〔《菊と刀》〕）統一地闡釋「日本文化」為非常單一的「恥的文化」。對於此批判者指出，潘乃德的日本文化論不過是再追認明治以降領導人製造的意識形態。其既為意識形態所構成，自然頗有條理，並非潘乃德特別善於抽繹出日本文化，這是稍具嘲諷性的批評。

日本人與中國人之差異

戴：我因研究華僑問題，曾兩度短期造訪美國的華僑社會和日裔社會，此二者間有顯著的差異。日本人容易組織，以組織而行動，共同完成工作；相較之下，中國人概以個人行動居多。

西山：但實際上亦可說完全相反。比較在美國長大的日本人和中國人，剛才戴教授所說的是日僑第二代以前的階段，到了第四、五代的日裔美國人，完全不懂日語者相當普遍。不可思議的是，到了第五代還記得茶泡飯的味道。然而，華裔美國人即使到第四、五代仍能說中國語，其保有民族的認同感，且未消失在美國的社會之中。日本人的話，到了第四、五代，從生活態度到語言等面向固不必論，全都埋沒入美國的社會之中，到第十代恐怕所有的日本文化全都消失了！我想中國人應該不會如此。因此，乍看之下，最初到外國的日本人似能妥善地組織，或具有強烈的做為民族一員之認同感，實際上，雖然存在戴教授所指出的面向，但亦存在全然相反之現象。

戴：不，我想說的與西山教授所理解的稍有出入。我並非闡述日本人為保有其民族認同而做了什麼。誠如西山教授所說，在其意義上，中國人有更努力保存民族性自尊心之旨趣：保留具有正面意義的中華思想，以之為榮，並想要堅持下去。而日本人似有較容易接受其他文化的面向。但我認為行動樣式（即善於個人行動或集體行動）之差異仍儼然存在。

西山：我總認為很不可思議。在美國，所謂「民族別」的說法似乎有些不妥，但觀察以此一形式所做的智力測驗或在校成績，係日裔美國人最高；進入高中後，第一名一定是日裔美國人；進入大學後，榮獲獎學金者亦大多為日裔美國人，其次則為猶太人。

然而，若是看諾貝爾獎，無任何一位赴美研究的日本人榮獲該獎。若我的記憶正確的話，中國系的得獎者少則六人，多則八人。

戴：不，只有三人。但實際上這三人均非在美國出生，大體上是大學畢業後才前往美國。

西山：前往美國的日本人應有得獎之條件，卻從未出現得獎者。

戴：江崎〔玲於奈〕博士曾經獲獎。

西山：但江崎氏係以其在日本的研究成果獲獎，中國人則是以在外國的成果獲獎。總之，我與戴教授在這點上的意見並無不同。可以確定地說，中國人較擅長做為個人而自立。

戴：是的。就生活能力的面向而言，這個差異似乎普遍存在。

西山：然而，剛才戴教授提到日本人較擅長組織性的活動，我對此不得不懷疑。第一代、二代雖係如此，但連第二代成功的日本人大體都是專業者，例如醫生、律師、會計師等「自立」的職業。至於中國人，正如企業界成功之事實所表明的，有組織為中國人成功之背景中之一。

戴：這將成為很大的論爭（笑）。

日本人為何親子一同自殺？

西山：與戴教授所提問題或有所關聯但完全不同的另一個問題是，為何日本的父母對攜子自殺一事感到自豪？

戴：是的。對我們來說，這是令人感到很不可思議的社會現象。我無法理解日本人善意地強要孩子一起自殺之行為。

西山：並非善意而為，而是自以為是善意。

戴：是的。的確是自以為是。我們的想法是，父母想尋死，自己死就好，孩子有其自身的人格和未來，為何認為自己死後小孩很可憐，就一起帶走他們的生命呢？我無法理解。

西山：這是為什麼呢？

神島：對這問題，我已準備好答案，所以很簡單（笑）。大家都誤解其原因所在，真正的原因在於日本的近代社會已成為單身者本位的社會。所謂的家族主義，乃是家族解體後才產生的。家族主義是可疑的：稱非家族者為家族；以非家族的為家族的，此即為家族主義。因此，社會需全部解體為單身者本位，始有家族主義存在的可能。自昭和初期以降，全家人一同殉死之事件增加，建構單身者本位社會，成為單身者本位社會，家族亦解體。蓋因社會如此強制。全家殉死前曾歷經一家離散。明治以後，一家離散之現象頻繁出現，一旦發生麻煩之事，則親戚一同聚集，教大家分工合作。不說「家族在一起吧」，而說留下小孩一人在我這兒照顧，妻子住在雇主家，丈夫外出做工，如此一來，家人就離散了。一家離散者，大抵維持四散狀態而難以復原，此事在現實中發生時，自殺者往往由於痛失家庭之中堅、事業失敗等因素而一籌莫展，認為除上吊之外別無他法，認為世間完全變成四分五裂、人性非常惡劣的社會。一想到小孩必須留在這種社會之中，就感到很可憐，而不忍留下他們。這是我的解釋。

西山：不，「一這麼想就不忍心留下他們」的這種解釋，是其他國家的人所無法想像的。

神島：類似中國的家庭團體組成緊密，將妥善保護該團體的成員，撫養其成員所留下的小孩。然而，日本的近代社會乃是四分五裂的都市社會。若留在此一社會中，小孩只有死路一條。與其這樣，還不如殺了孩子。基於這樣的想法而造成如此的結果。

西山：我無法贊同此一說法。神島教授，我想您所指出的日本社會家族實質性崩潰之歷史，在您所述的範疇內可能如此。

但以英國的情形為例，最近堪稱社會福利國家的英國，設有各種福利設施，但自16至20世紀初期的英國社會，居民凶惡、治安敗壞，一旦出門，搶劫者有之，強盜有之，誘拐者有之，無法預料將遇到何事，且人們往往袖手旁觀，亦無類似往昔日本家族互助的精神，以至瀕臨一家無法生存、無法維生之窘境。然而，即使在最後一瞬間，亦未出現因考量「不可將孩子遺留在如此惡劣的社會」而輕易將之殺害的想法。

神島：不！依據我的觀察，英國的都會或近代產業的形成方式乃是將農村圍起來，將農村人口完全驅逐。地主貴族剝奪農村的生活基礎，驅逐農村人口。因此，農民不得不抱持對抗貴族的意識而離開。同時，不得不與家族一起離開。因係全部被驅逐，而無法將部分家族留在原地，自己離開。

然而，日本的近代化並非如此。其家族幾乎都留在老家，年輕力壯者前往都會，以此一形式解體，因此，在尚未察覺解體時，已不知不覺地解體了。此一解體的速度十分快。

英國的情形是家族一起離開，故家族只有更加團結；家族一同吃苦，遂產生階級的團結合作。正因為被地主階級驅逐，所以以階級的團結合作好不容易才成為福利國家。與日本的情形全然不同。

戴：從兩位教授的爭論點中，我獲得了一些啟發，一是戰災孤兒的問題。日本人在舊滿洲留下許多的戰災孤兒，其中，有被販賣者、托養者等各種的案例。日本人經努力地尋找而找到後，其家庭、村莊最初都高興地歡迎他。但過了一、兩個星期後，卻感到無法承擔。被收留的孤兒則因語言不通，無法熟稔，最後投井自盡。實在是一大悲劇。

其次，是前往收拾戰死者的遺骨。事實上，我的外甥被徵用到新幾內亞島，迄今未歸。我因在東京，乃寫信向家中告知擬前往厚生省調查一事，但堂兄夫婦卻放棄了，他們並沒有去撿骨的念頭。日本人若未拾骨而歸，似乎總覺得不安。但所撿拾的骨頭究竟是人是犬則無法分明，雖然這種說法很失禮，且明明不清楚那是哪裡的、誰的遺骨，卻進行撿骨、誦經，光這麼做心中就能感到滿足。無論遺骨的來源是什麼都無所謂，只要舉行儀式，經過撿集、火化、祭拜，就能心安。這感覺似乎就是西山教授所說的，存在著非官製的某種社會因素。

換個話題。這次暑假，我前往睽違十年的東南亞。1969年我前往時恰為美國總統尼克森甫在關島發表《關島宣言》、反日情緒高漲之時。這次前往時，我忽然想到雖然尚有歐洲共同體以「兔子小屋」（rabbit hutch）等用語批評日本之問題，但針對東南亞而言，迄今未曾有過如此以微笑歡迎日本人的時期。或許他們只因為日本人是來灑錢的好客人而表示歡迎。我對他們真正的想法為何並不了解。

再說，前往新加坡時令我驚訝的是，十年前前往時，該地號稱華人占75%，乍見走在街上的女性，可立刻分辨出是否為當地人，但這次去時，彷彿看到很多日本女性一般，但由其穿著女性上班族的裝扮而非旅行者，可知並非日本人。我試問此一現象之原因，原來是伊勢丹百貨公司的緣故。日本式的流行文化為該地的女性所接受。要之，伊勢丹流行文化在新加坡的街道上氾濫。當然，日本仍有應受批判的部分，但正如從流行文化所見一般，現象上好像可以看到相隔十年的東南亞以非常歡迎的態度接納日本人、容受日本文化。

又，隨著中國的四個現代化志向，出現無論如何都要向日本學習的氛圍。此一「凡日本皆善」的狀況，若就前景思考，對日本反倒是不利的。因迄今中國批判日本之故，日本人在一定的緊張感中，有借中國人的胸膛以自我調整之面向。然而，中國則是「日本近代化萬萬歲」、「凡日皆學」（笑），有點兒令人擔憂啊。做為知日派的我，對此有所擔心。

西山：我認為在其他的面產生對日本非常不利的現象。

首先，最近年輕人紛紛前往外國旅行，多半認為已無可向外國人學習之處，故僅購買名產而歸。問他此行學到了什麼？則無以回答。另一個有趣的現象是，各式各樣以出國為任務的組織團體，尋找希望駐在海外之年輕人卻愈來愈困難。

如戴教授所說之現象，對日本而言，是不是負面的呢？我認為完全是負面的。特別是就今日中國的近代化而言，不過是關於日本唯物主義面向之禮讚。稍作補充，我並非認為日本今日的產業社會純粹是唯物主義所帶來的成果，從剛才所指出的各種日本民族的缺陷來看，說不定與此正好相反，日本人的精神或心理層面與物質層面相連，始帶來日本今日的產業社會。儘管如此，馬克思主義雖係物質主義，但最近似乎沒有像日本社會如此物質主義的社會。因此，我認為中國是禮讚日本的物質主義，而絕非日本的精神或文化。

戴：我的友人說日本人擅長應酬話，而中國人也說應酬話，但是，因為日本人非常正直且坦率，所以似乎全盤接受。他們完全感到被稱讚，這是一種陷阱。

社會的規則和生活節奏依各民族而有某種程度上的差異，因此，我期望在交流後相互留意深化對彼此的理解、避免強加於人的態度，以及不說應酬話。

西山：再次整理剛才所提出的問題，由神島教授所說，以及剛才持續討論的、非常大的面向是官製意識形態，對此我全然無否定之意，但我認為還有更大的問題。

其次，世界上沒有像日本人和美國人般，以為對方全盤接受自己所言的單純樸素之人。這或許是好事，但無論怎麼說，欠缺國際經驗者都是如此。

戴：不僅如此，近代日本可說是透明度較高的社會，或毋寧說是容易生活的社會。以中國人來說，比起在中國社會生活，日本社會較容易理解而讓人安心。舉個具體的例子來說，在日本，名片幾乎八成都是真的，這樣的社會不是很少見嗎？

西山：中國約有幾成呢？

戴：不，中國人不太使用名片，例如東南亞華僑的名片有各種虛構的情形。觀其名片恐怕大概不能相信。不能那麼相信鉛字本身，包含媒體在內都不相信，必須慢慢交往，一個一個作確認（笑）。

西山：日本或許透明度頗高。但透明度高不能說是壞事吧！

戴：是的，不是壞事。

西山：神島教授歷史性地說明剛才的問題。即使歷史性地說明是確實的，認為「與其讓孩子受苦，不如殺了孩子」的判斷是善意的日本人，對於在台灣塑造義勇軍，或豈止塑造義勇軍，而是捕殺整個村落，或狠狠毆打俘虜等行為，恐怕日本人心中已準備好答案，而會表示「我若處於對方的立場，亦甘於承受這些折磨」，或有「我已先殺了自己，所以殺了自己的小孩亦無妨」之邏輯，然後，在戰爭中兇狠地毆打美國人俘虜。但日本人或許有「因為自己被如此兇狠地毆打，所以毆打之亦無妨」的想法。因此，總覺得日本人預備「我已承受如此的痛苦，故使他人痛苦亦無妨」之辯解。

神島：戰爭期間在台灣、朝鮮也這麼做，日本在殖民地所做的事情中，有繼承歐洲的殖民地政策之作法，亦有與之不同者，後者毋寧在溫和面，做粗暴之事係模仿歐洲殖民地政策而來。關於此點，如我剛才所說，日本非常用心向歐洲學習。我認為關於殖民地政策亦如此。

「因是統一的國家而必須統一各種面向」、「法國徹底統一語言等」，日本國內也模仿此一作法：既然是統一的國家，就必須徹底統合，語言亦統一，因此以非常粗暴的方式推動「方言撲滅運動」。

西山：神島教授說法中，我不能苟同的是，若比較殖民地之作法可被允許的話，在歐洲殖民地對策的「粗暴」性的背景中，如今依然發生一般，殖民地人民來到殖民本國，不僅混雜在本國人之中，還很可能渾然不覺位於該國中樞，這是大有可能。日本人與殖民地人民「袒裎相見」，號稱自己與殖民地人民「相同」，殖民地人民輕易上當，追隨日本人到東京，卻全然無法融入日本社會。因此，日本的殖民政策或許是溫和的，但若全部重新檢討，未曾有殖民地出身者在東京的中樞。反之，巴黎、倫敦都有。我認為這一點才是問題。

戴：非常有意思。

神島：這是因為西歐殖民地的歷史很長，所以全然不同。

西山：不只是如此。

神島：日本若有那麼長時間的殖民地統治，這種現象也會發生。

西山：我認為不只是這個原因。畢竟，對法國人而言，完全精通法語、法國文化，比起顏色是灰、白、黑似乎更為重要。日本人對自身的文化畢竟欠缺自信吧！

神島：然而，從甲午戰爭之後起算尚未超過50年。將日本與經營殖民地一兩百年的國家相比較，並不恰當。

西山：我認為中國人即使經過四、五、六代都保有其自我認同，乃是因為其在文化上的自信。日本人前往美國，最初尚能保持認同，卻很快就消失了。

神島：不，我認同這一點，因為日本人在不知不覺中忘卻了江戶時代的文化，且全然否定之，大概有將異國文化當作祖傳文化之想法，欠缺對於傳統的意識。

戴：我是持此說：「日本的第三、四代消失」，觀諸洛杉磯小東京（Little Tokyo）與唐人街之差異似為如此。前往小東京，僅有少數的日式物品，索尼（Sony）、本田（Honda）等後來的日本製品卻到任何地方都買得到；反之，前往唐人街，各種中國商品應有盡有，那是異質。因為異質，所以實際上唐人街有保存文化自我認同的可能。若以文明的尺度去思考，我發現中國人具有以傳統文化抵抗美國社會物質文明之現象，例如家具總要引入黑檀、紫檀等中國式的物品，美式沙發等全無吸引力。

日本人的宗教觀

西山：剛才聽戴教授一席話，我注意到此一現象或許和宗教有關。究竟日本人的宗教為何就是一大問題。從基督教的觀點而言，日本人似有一神論派（Unitarian）般的特徵，我雖自認為是基督教徒，但與盎格魯薩克遜的基督教信仰者見面後，覺得自己是「異教徒」。我無法完全分辨善與惡、一或二，他們卻可以，在這樣的意義下，我感到自己與他們有所不同。日本人畢竟有八百萬之神，萬物皆有神靈，反過來說，不就是什麼都沒有的宗教嗎？而且也是非常即物的宗教。基督教之所以無法在日本推展，或許與日本不崇拜不實存之物的思想傳統有關。韓國雖然介於中國和日本之間，但宗教上則有其極好的、獨特的文化。

神島：日本自明治以降，在各方面強烈地受到基督教影響，但信仰者卻幾乎沒有增加。

西山：神島教授所說的影響是，大概沒有任何國家像日本這樣盛大地慶祝聖誕節吧！

神島：不，最簡單的指標是《聖經》。《聖經》是常銷且最暢銷的書籍，其他國家並未出現此一現象。

西山：問題就在這裡，即使在基督教傳入的任何時間，日本人在倫理上高於信奉基督教的社會，因此遂將《聖經》當作倫理來讀吧！

神島：不，也有受其影響。

西山：我想說的不是做為倫理的基督教或《聖經》，而是做為宗教的基督教究竟有何影響。

神島：總之，受基督教影響這一點，明治以降很顯著，但信仰者未增加亦是事實。明治之初信仰者稍有增加，但旋即衰退，只限這麼一次而已。

戴：實際情形如何呢？日本人對於馬克思的《資本論》、《聖經》及《論語》這三本極具代表性的著作，大體上知道書名，或許也曾試著翻閱過，但讀到最後一頁的有多少人呢？

西山：坦白說，首先，可以斷言一般的日本人沒有讀《資本論》，大體而言也沒有讀《聖經》，至於孔子的《論語》，戰後的日本人也沒有閱讀。

神島：說到這個，不論意識形態是哪種，沒有人認真讀的吧（笑）！

西山：與外國相比應該比較多人讀，可以這樣說吧！

神島：不，那是，大家看了，就得說讀過啊（笑）。

西山：那麼，我看過（笑），然後也掌握某種概要。

神島：因此，在某種場合能隨意引用書中語彙，這樣就應該視為已經充分閱讀了。

日本人忠於組織

西山：與神島教授對話會逐漸變得有些難度（笑）。話說回來，提到日本人有其封閉之處，我總是這樣覺得。與中國人相比，或許中國人更有封閉的面向，但日本人動不動就說「我毫無隱瞞」，但某些地方卻沒有打開。

其次，日本人忠於組織邏輯。無論組織的目的為何，必然忠於為增進組織效率的邏輯和倫理，這一點非常可怕，或許是最可怕的。

神島：提到組織邏輯等，日本人深受組織邏輯之訓練，應歸諸明治以降徵兵制下的軍隊之故。

戴：我還注意到另一件事，日本人大家一起「嘿咻——嘿咻——」努力地抬神轎時，每一家族都同樂其中。然而，中國人想乘坐神轎者比比皆是，扛神轎者卻連一個也沒有。

日本的天皇制是一種神轎吧。其帶有何種意義，或被賦予何種意義，有各種解釋。因此，毛澤東等中國的政治家非常辛苦。孫文以降，到日本留學而與日本的舊大陸浪人*相交往者，都羨慕日本的民眾。中國的民眾如果是那麼聽話的「民草」，做起事情將多麼容易啊！因為看到日本人所以有這樣的想法吧！非常整齊地行動，且聽命於上級。中國人則是各自為政，不知道會做出何事，任何傢伙都想當頭頭。日本人善盡本分，以不逾矩之形式，不自覺地合為一體，抬著神轎「嘿咻——嘿咻——」地齊一前進（笑），真的非常妙。

日式的生活節奏、規矩還是有其特色。外國人當然要有了解且包容其特色態度之必要。然而，一廂情願認為他人亦了解自己主觀的善意、似乎是善意的義務，在日本較多。還有所謂謙遜的美德，嘗試自我規範，不作自我主張，以自己的生活節奏深思事物。在此一意義上，我認為日本的情形非常獨特。此一獨特性若正面地成為日本給予他人的印象，反倒因為這樣的獨特性與其他人過於不同，而有難以交流的一面，所以有加深相互認識的必要。

西山：我一點都不認為日本人的作法完全錯誤。所謂產業革命、自由主義經濟，是從哪一個國家、哪一個時代開始？知識分子大概都會說是18世紀的英國，但完全不是如此，而是17世紀的蘇格蘭。為什麼是起源於蘇格蘭呢？因為17世紀英王與倫敦議會進行百年戰爭。在此之前，英國強大的統治力及於蘇格蘭、愛爾蘭等邊境地區，基於特許制度，只能出版英王許可的作品，生

* 大陸浪人：指戰前與戰爭期間到中國大陸四處流浪的日本人。浪人出自武士時代從主家被排擠出去的失業流浪武士。

產、輸出和輸入某些特定的產品。但英王與議會意見不合，因此處於天高皇帝遠的蘇格蘭島民開始獨斷獨行。想要出版者開始出版，而成出版的自由。因此，蘇格蘭的出版自由，並非始於出版自由的呼聲，而是始於能否從事出版產業之抗爭中出現。於是，蘇格蘭人開始自由貿易和生產，等注意到時，經濟已大有起色。在此一意義上，或許會被神島教授否定，日本沒料到會戰敗，開始任意而為，卻頗為順利（笑）。

但在這過程中，若真是普遍之事，則不該說自己的生活態度獨特，而必須關注更普遍的面向。最近，日本不是已經到了這個地步了嗎？但可惜的是，我再重複一次，日本的年輕人並不會探索此一普遍的面向，而完全滿足於現在。為何如此滿足了呢？現在興起一股僅顧及自我滿足卻不管他人的風潮。

神島：我對這一點也感到非常遺憾。並沒有什麼獨特的事情，在此一面向上，如果有可稱為好好做之事，必為極其普遍之事。江戶時代及其以前的歷史都是很普遍的，無任何特殊之處。因此，眾人何不將之當作普遍之事，抱以關心，繼而加以介紹呢？

西山：是啊！

神島：因此，他人優秀之處則虛心接受，這本身絕非特殊習慣，而是非常普遍可通用的習慣。

其次，接受異質之物，不品頭論足即隨便認可。此並非特別的、奇怪的習慣，到哪裡都通用，而且全部讓人家去做比較好，這樣的作法有其邏輯，並非特殊的且僅日本通用的邏輯，而是世界通用的邏輯。

傳統與外來文化的摩擦

戴：然而，這是怎麼一回事呢？例如接受新事物時，對於傳統的價值體系所受到的破壞，或是說容易被破壞的可能性，無論是否必然發生，都不能否定其存在。我是中國人，看見中國破壞傳統價值的程度，現在有三個事例，也就是在新加坡、台灣及中國大陸的實驗。我因為在東京，希望能不牽扯政治地慢慢觀察，並與日本做比較思考。日本人的傳統算是穩固，但反而在小細節上比較容易遭受破壞。

現在，新加坡總理呼籲意識變革，三十歲左右的年輕菁英們被拔擢，想要追上日本、西德。中國大陸則有「老害」，老年人一面努力不懈地工作，一面治療因文革所深受的傷痕，但前近代的體質與傳統之桎梏，仍具有無法忽視之強度，或者因為歷史悠久，「負荷」沉重，無法翻身、彷彿被咒語束縛一般。

中國人依據經驗法則而不愛冒險。因此如登山等，是最近才開始的事情，例如登喜馬拉雅山等。我從台灣來日本時，不明白日本人為何在冬天上山而死亡，和東大山岳部的同伴前往乘鞍岳時，第一次嘗試穿著滑雪裝備，從這麼高的地方往下看，心想「啊！我也想死在這麼美的地方」。那樣的美麗、雪的美麗。但仔細思考，這就是冒險。人生中風險的部分，那種緊張感，確實在某個地方與社會全體的氛圍相連。

中國人被經驗法則所束縛，冒險心相對不如歐洲人，我認為打破這個束縛的人是毛澤東。

神島：關於這一點，依據加藤周一的議論，日本是混種文化，「特色是新加入的文化可能成為核心的一部分。任何其他國家雖然都融入外來文化，但核心部分必定堅定不移。外來的文化僅進入末端的枝葉部分，而不會進入根幹。但日本的特徵是，外來導入的文化亦滲入根幹之處。」我不這麼認為，我認為異質文化，不是不能為傳統增色的，只要不讓異質性高揚，而發生彼此對決這樣荒唐的事情，有異質文化實無妨。但日本人總是將之細分，在細微之處動手腳的習慣，以致雖在現實上有與異質文化相結合的努力，但並未改變文化的根本，我認為這種「智慧」，這種情況所使用的邏輯是普遍性的，應挖掘出來加以討論比較好。

西山：誠如您所言，的確如此。

神島：考慮這樣的問題時，做為一般論來說還是有個條件，「在某條件下就會如此」的想法，我認為不能不做，但我認為個別的事例需個別地好好探討。在某一情形下，也有性格非常特殊者出現的可能性。所以關於特殊的事例，除了將其仔細爬梳，別無他法。

戴：除了持續地相對化、對象化去判斷以外，沒有別的方法。

神島：是的。我感覺牽扯到國民性是最危險的。

本文原刊於《立教》第91號，東京：立教大学，1979年11月（秋季號），頁2～15

被喻爲波西米亞人

——華僑所成就的文化經濟足跡

◎ 章澤儀譯

華僑社群易陷入封閉性，往往發展成孤立的小團體，有一個人為華僑的現代化而日夜奮鬥，試圖藉此促使華僑與日本人的融合，即立教大學教授暨農學博士戴國煇先生。為此，我們拜訪立教大的東洋史研究室，向戴教授請教華僑近代化的內涵。

戴教授有一張小麥色的臉龐，散發著健康與聰穎的氣息，其才思敏銳，從他那傲人的學歷便可得證。戴教授是台灣省中壢的客家人，於1965年*修完東京大學大學院的博士課程，〔1966年〕獲授農學博士學位，堪稱當代秀才。說起東大，無疑是日本群英薈萃的最高學府，戴教授能成功克服語文障礙，進入該校就讀，更可見其超乎常人的天分。

戴教授談華僑的近代化如下：「如今，可歸屬為華僑的人們分布在全世界，總數將近二千萬人，日本就有五萬人左右，這些華僑有個共通點，就是在各自的僑居國內固守家園，始終擺脫不

* 據《全集27・戴國煇年表》應為1963年。

了家族式的經營模式。有些人破格地開起了旅館、飯店和高爾夫球場，但絕大多數仍是自家經營的彈珠店或咖啡廳之類。他們的事業規模沒有大規模的成長，除了本質上的眼界狹窄，對未知領域的膽識不足也是其中一因。既有這兩項因素，縱使財力足夠，也難有大幅飛躍。華僑、華人本身的融合障礙和社會環境也是很大的原因；他們時常憂慮抓不到產業資本轉化的時機，因此對這些人而言，近代化契約制的社會關係還是個遙不可及的概念。華僑若能了解到這一點，他們不僅在事業經營上能夠突破，與日本人或世界其他民族之間也能和平交流……」談到這裡，戴教授顯得十分遺憾，然而再多的遺憾也無法幫助華僑達成更富裕平和的生活。

所以，戴教授從學術界出發，為上述的華僑尋求更加近代化的事業經營方式，與志同道合者籌措了資本1,400萬日圓，於昭和53年（1978）成立了「東京崇正協同組合」〔譯註：即東京崇正互助合作會，以下譯為互助合作會〕，以邱進福先生為理事長，並獲得東京都的許可，將辦事處設在澀谷車站前的日本國土興業大樓。

該互助合作會的設立目標有三：

一、毫無私心，為一清廉且可信賴的組織。

二、公正對待會員，服務效率要好。

三、追求心靈交流，人情味濃厚。

憑藉著上述理想，該互助合作會的累積資金在第二年度就突破12億日圓，創下極為驚人的紀錄。

互助合作會的業務內容共分三大類：儲金、放款和共同購買事業，此外也銷售農產品和食品，如香菇（每公斤9,800圓起）、仙草（每罐160圓）、韓國高麗蔘（良級15天36,000圓）、中國吉林人蔘（一斤裝，每箱20,000圓）、高麗蔘（日本15天22,000圓）等。

東京崇正協同組合與「崇正文庫」所秉持的理念

事實上，該互助合作會並不只有營利事業項目，以提升華僑文化和近代化為目的的「崇正文庫」也是旗下單位之一。「崇正文庫」蒐集全世界所有關於華僑的珍貴參考文獻、資料（約千冊），不單提供華僑借閱，日本人也可以自由借出。戴教授興奮的表示，在華僑問題方面，該文庫的藏書量遠遠超過日本的國會圖書館。

文庫所收藏的文獻內容除了客家方面、華僑問題，亦有各類周邊參考文獻，例如海外日僑問題、猶太、少數民族問題等，在中國史和中日關係史也有蒐羅。

尋求華僑近代化的目的不僅於此。戴教授以銅版印刷發行了一份名為「客家之聲」的小報，每期四頁。內容全用日文，以便華僑第二代和第三代閱讀。該報內容皆以「團結全球客家同胞，發揚中原崇正精神」為主軸，宗旨在求年長者能得安養，同時為年輕人提示希望之光。

互助合作會除了促進近代化，更於每個月舉行一次華僑教養文化演講，每回都邀請日本一流的文化人士參加。

華僑、華人的綠洲「崇正會館」加上兼顧健康的體育場

談到這裡，我們先簡單解釋「客家」的意義。客家讀作「Hakka」，是漢族的一支，最早居住在黃河流域，後來在數度戰亂中流離遷徙到各地，其子孫有移居到廣東、四川、福建、江西、台灣等省，也有渡海至東南亞、歐美甚至非洲等地，總數據說有700萬人。

另外，「東京崇正協同組合」的起源為「日本崇正公會」（會長為邱添壽先生）。戴教授提及該會今後的展望，則表示「該會正考慮籌建體育場和『崇正會館』，凡會員都可以加入，費用低廉，也歡迎日本人。這將是華僑、華人的綠洲，未來會做為子女教育的場所。」

同時，「日本崇正公會」一概不涉及政治性議題，完全尊重會員的思想自由。

本文原刊於《月刊イニシァテヴ》（総合キャンペーン誌）第103號，東京：中小企業政策研究所，1980年7月，頁26～27

改變中的婦女角色

——伊斯蘭・中國・日本的性與家族座談會

◎ 劉淑如譯

與會：板垣雄三（東京大學助教授）
川本彰（明治學院大學教授）
戴國煇（立教大學教授）

性價值意識的變動

戴國煇（以下簡稱戴）：英、美因為播映一部發生在沙烏地阿拉伯的一位公主與青年私奔事件的電影，受到了沙烏地阿拉伯的抗議。這是有關《公主之死》的上映問題，而其義涵並非在於抗議事件本身，而是處以死刑這一點，這個死刑不是私刑，而是依據法律的一個審判。在我們看來，這是很難理解的，沒想到在20世紀即將結束的現在，竟然還有這種審判。

板垣雄三（以下簡稱板垣）：的確，那並不是私刑，而是根據國家法律的審判。不過，這樣的法律要如何適用在現實當中？對於有夫之婦和別的男性私奔一事，即使是沙烏地阿拉伯人，我想每個人的想法也未必一致，且其中的落差也很大。我想並非所有的人都同樣憤怒地認為，「這在社會上是無法被原諒的」。

在拍成電影時，描述的方法或劇情，在現實面或許也觸犯了沙烏地阿拉伯當局者的神經。

不過，這部電影對沙烏地阿拉伯而言有問題的是，正因為沙烏地阿拉伯人的心中有各種想法，所以無論是世界上的任何一個地方，只要哪裡有議題被提出，並且具體被描繪成影像，此事直接觸發沙烏地阿拉伯社會內部的對立問題，問題即在於這種狀況的存在。

例如，以大學是否要招收女學生的問題而言，像是女學生只應進入女子學部，若讓她們進入一般的學部是否妥當；或者是否該對男性與女性一起在辦公室內工作日益普遍的情形視若無睹？這個問題與以上種種日常生活問題上的社會內部對立是有關係的。

戴：對於包括電影播映與一連串事件在內的種種問題，我們要怎麼來看待？比方說，像是最近的伊朗問題，甚至對於伊斯蘭在世界史中的復權也好，或者當然應有的伊斯蘭文化的自我主張這種東西，以日本來說，大概會有一種作法，即日本會以既存的歐美的價值基準為中心的形式，按照自己的方式去解析問題。但光這樣是不行的，包括伊朗的人質事件以及這次的電視、電影的問題在內，其實他們還必須透過伊斯蘭文化圈中的自我主張，像是家庭或者婚姻、戀愛問題、性的問題，用再稍微相對化一點的形式來詳加觀察。

板垣：您說得一點也沒錯。就此意義而言，我們是被迫必須要將價值相對化。只不過，這問題乃在於該怎麼看待「伊斯蘭的復權」——這一點伊斯蘭教徒自己也經常在說。以我的感覺而言，像伊斯蘭中價值的相對化，它的發展極其快，因此不能說，如果站在伊斯蘭的立場來看，就會變成這樣，或說當然這樣，反倒是大家愈是想要站在伊斯蘭的立場，伊斯蘭教徒之間的價值觀的分裂，或者對立、想法的歧異，就會愈來愈擴大。

所以，倘若我們要找出做為新價值的伊斯蘭，在以無限可能性的幅度，將價值相對化的伊斯蘭能量當中，我們也必須將我們自己相對化去思考。問題應該是在於我們是否具備這樣的能力。

另外還有一點必須先弄清楚，即「伊斯蘭」這個字眼，它仍然是個問題。當我們在述說中國如何、伊斯蘭如何時，此時的伊斯蘭，指的是什麼呢？是指站在伊斯蘭教徒立場的人嗎？還是指伊斯蘭教勢力大的地區？雖說是伊斯蘭，但中東的人也是各式各樣，也有非洲人、印度人、東南亞人、中國到蘇聯領土的中亞人，也有東歐人——像是保加利亞人、阿爾巴尼亞人、南斯拉夫人。換句話說，我們是無法一概而論地去探討伊斯蘭的「性與家族」的。若換成比較容易討論的形式，那麼，我們就先將它置換成「中東」看看。不過，特別是如果我們把中東伊斯蘭教徒的家族問題想成彷彿是和歐洲近代的，或者歐洲固有的家族問題互為對立的問題時會發現，似乎又不對了。二者互通的價值觀，基本上是從中東流向歐洲的，在思考的時候，我們也必須考慮到這樣的一個歷史背景。

那麼，中國的結婚或性的問題呢？

上海文學裡所描述的「悲劇」

戴：在中國，新中國於1949年成立，同一年，採取和土地改革結合的形式的婚姻法也成立。這個婚姻法，打破了以往的買賣婚姻——受父母之命，聽從媒妁之言結婚——型態，也打破了前近代性的、封建式的家族制度，以及男女關係，在透過家族關係的民主化，同時引出年輕男女的能量，也引出了舊世代女性的能量。

最近，在四人幫倒下之後，文革期間，或者再往上回溯到1957年以後，當時已逐漸用文學作品的方式來呈現了。像是傷痕文學或者暴露文學，這些作品最近開始出版，而在讀完它們之後，我感到很驚訝。今年〔1980〕1月號的《上海文學》裡所刊載的〈被愛情遺忘的角落〉，就是其中一個例子，我讀完後很是訝異，因為中國的男女關係實在是毫無改變。其中所描繪時代的文學狀況，從新中國以後的某個階段起，文學作品當中就不再談論到愛情。是從1956、1957年的反右派鬥爭之後吧。具體來說，即如丁玲等日本也熟悉的作家們沒落的過程，不可以在作品裡描述悲劇、戀愛、私生活。總而言之，只容許對勞農兵、社會主義建設有幫助的文學存在。因此，所有作品的描述都是正面的形象，像是將「愛情」這個字眼，或者男女的戀愛放進去等，這些在當時都是禁忌。

在這種禁欲的狀況之下，發生了些什麼事呢？剛才所提到的作品，就將它描述了出來。這是發生在某個人民公社的故事。在沒有休閒娛樂，也沒有運動，僅有勞動、工作這種單調而禁欲的農村生活之下，年輕男女在一點契機下，發生婚前性關係，接著女性就懷孕。因此，男性便被施以依據公共的共產主義式的道德而非前近代性的私刑制裁，再被帶到女方家裡去道歉。最後女性因為感到屈辱而投水自盡，而過沒多久，男子也被公安逮捕，落為囚犯。這應該是取材自真實的事件。

我認為這當中有個現代文明相當諷刺的現象。原本共產主義指的應該是人的解放吧？中國為了要真正貫徹土地改革，同時也制定了婚姻法。買賣婚姻的舊習，應該已經和過去的地主·佃農關係的契約書或者證明文件一起被公開燒掉了才是。

然而，在1956、1957年的反右派鬥爭之後，文學就不能描述這些事了。「愛情」是禁忌，甚至性也不能在文學作品中被提及。年輕人因一時的性衝動所引發的故事裡，若以目前日本或美國式的思維來看，這也沒什麼過錯，事後再結婚不就好了嗎！不過，在這部作品裡面這是很不得了的事，是不知廉恥的，所以女方才會投水自盡；男方也才會成為階下囚。最古老的道德，受到最新且強而有力的意識形態的形式武裝，同時也迫使人們執行極度嚴苛的私刑。

新中國成立之後，原本大家所期待的美好願景，何以變得如此？該怎麼理解它才好呢？事實上我感到很迷惑。

板垣：在中國人民悠久的歷史當中，是有過好多次性自由遭到壓抑的經驗。就某個意義而言，最有組織性的，應該可以說就是從1950年代末開始的。

戴：我並不想如此簡單作下結論，我認為本來它並不是那樣的方向。為性的能量附加方向，然後組織化，這是它本來的意圖。其中一個可能的原因是，農業政策的失敗，造成生產力的無法提升，因為無法提升，在農村，一方面被課以重勞動；另一方面，傳統的祭典則以「老舊」為由受到驅逐，而可能代替的運動或休閒娛樂則因為不能提高生產力而無法提供。換句話說，「玩樂」的部分完全消失了。運動或娛樂的餘裕在那種狀況之下，恐怕是沒有的，所以當性衝動直接以小說形式爆發的時候，就一發不可收拾了，到最後，由於原本的意圖以完全反其道的形式，試圖藉由體制的力量來保持秩序，於是釀成如此的悲劇。應該是這樣的邏輯結構。

結果，就算有了制度，有了法律，如果沒有支撐該條文的物質基礎，就只有走上崩潰一途。我認為這點才是〈被愛情遺忘的角落〉中，一個很大的背景。

歌頌「性」的二宮尊德

川本彰（以下簡稱川本）：聽完二位剛才所說的話，若要把日本目前的狀況拿來和伊斯蘭或者中國的狀況一起討論的話，感覺上好像層次不太一樣，討論也似乎會變得相當困難。

日本自明治以後，就快速步向西化，當西化陷入了僵局，這時該怎麼辦呢？就在思考下一步該怎麼走時，我們終於在最近看到了回歸日本的傳統，「發揚它好的一面吧」這種態度的出現。只不過，日本所說的「傳統」與中國或伊斯蘭所抱持的20世紀後期所面臨的「傳統」有些不同就是了。

日本碰到西歐的近代，是在距今大約一百年以前，在那段期間內，自明治時期已經有100年的緩衝期間。可盡情消化西歐的年限——當然是沒辦法充分消化——100年，是非常珍貴的。若以日本目前的立場說伊斯蘭「好像在做些什麼奇怪的事，連公主都殺了！」，就某個意義而言，是相反的時代錯誤，即便是剛才提到，中國的壓抑戀愛故事也一樣，應該都是為了適應現代，不得已才採取的一種方法吧！不過，從西歐式的觀點來看，就會有問題也是理所當然。

川本：以戴先生所舉的結婚或男女關係的例子來說，儼然就是不為女色所動，有如不懂融會貫通的石部金吉這個代表性人物的二宮金次郎，他竟是徹底的男女平權論者。他在日記裡寫道，「今夜，天地和合，縱情享樂」，並將自己的性愛過程老老實實地記載了下來。他在三十幾歲時被派遣到栃木縣的櫻町，之後就一直受到村子裡人的排擠而徹底辛苦了七年之久，接著就到成田山閉關。成田不動〔譯註：位於成田市的新勝寺之通稱〕有一部描述性愛歡愉的經書叫作《理趣經》，他就在那裡聽取那經文。另外，為了教化村民，與村民一同聽取富士講〔譯註：由信仰富士山的農民、商人等所組成的講社，時而舉辦富士山的登拜，又稱之為淺間講，盛行於江戶時代後期。明治以後，則演變成扶桑教、實行教等〕的說教，不過這也徹底是在歌頌性。成田山之後的日記，就出現天地和合。可能是對人類本質的理解吧，過去的尊德〔譯註：即二宮金次郎〕是極度的完美主義者，他會認為，工作之所以會進行得不順利，是因為誰和誰不好，但這在天地和合出現之後，就統統不見了。

戴：唯有領導者允許自己、也允許別人天地和合的這種感覺，才會與生產力結合。一旦將「性」從人類應有的生活當中抽離開來，也就是說，因為性壓抑，心理就變得有殘缺，不能與生產力做結合，不是嗎？

婚姻與宗教

戴：這是發生在我去馬來西亞時的事，當時我曾經問馬來西亞當地的伊斯蘭教徒與華人系為什麼不通婚呢？華人系女性對於嫁給當地人一事，並沒有多大的反感，但反之則會產生很大的抗拒。華人系的男性如果娶了當地的女性，就必須皈依（回教），這時就會用「割包皮」來形容，而據說那是很困擾的。

板垣：以猶太教或伊斯蘭教的情況來說，男性的「割禮」具有非常大的義涵，也就是說，與神之間訂定契約的一種展現，就是去做割包皮手術。

戴：還有，不能吃豬肉也成了理由。另外還有一個比較大的原因，即家族關係。總之就在結了婚的那一瞬間之後，大家都會來勒索、央求，這可能是共同體意識吧！

川本：像天主教的情況是，一旦與異教徒結婚，就有了「也要讓小孩成為天主教徒」的壓力。在這方面，伊斯蘭的情況又如何呢？

板垣：以伊斯蘭來說，他們當中也有認為，多和不同宗教的人結婚、多生小孩是很好的，因為這麼一來，伊斯蘭教徒就會增加。這要視父親的宗教而決定。

以猶太教，或者猶太人的情形而言，他們則是從母系。在以色列，猶太人的定義是「猶太教徒或者母親是猶太人」。

戴：我們現在好像還是從父系吧！像目前在日本造成問題的國際婚姻子女的國籍選擇問題，就是個很好的例子。以外國人丈夫和日本人妻子的例子來說，現階段還不允許小孩入母親的國籍，而所依據的仍是父系的原理。

板垣：以色列的情形算不算是母系制，這是個疑問，但像日本的男性和以色列的女性結婚，他們所生下的小孩，很清楚地就是猶太人，也充分具有以色列市民的資格。

戴：中國的情況則不是父親制或母親制的問題，而是中國式的禮教，且它也不是宗教，是類似生活的規範，或默契之類。或者說接受漢字、吃中國菜的形式都可以，只要能接受這些的人，都是中國人，中國人有10億人口理由在此！（笑）聽說最近新中國也有了國籍法，應該是改變了很多，日本人也都能被接受。

板垣：這在阿拉伯也是一樣的呢！因為用阿拉伯語能講得通的話，大家都是阿拉伯人，所以我覺得中國和阿拉伯是有相似的地方。

從姓名看個人的狀態

戴：中國直到最近以前，女性即便有自己的姓氏，也沒有名字。像我祖母的牌位上只有「戴家母陳氏」，就是其中一例。辛亥革命之後，女性的地位提升，所以婚後也都沒有改姓，妥協的作法是把夫姓冠在上面。例如，蔣介石跟宋美齡結了婚，以「宋美齡」的例子來說，有時就會用「蔣宋美齡」。而新中國的領導人則絕對不在上面加冠夫姓，像周恩來夫人鄧穎超、魯迅夫人許廣平就是。另外，講到我自己家裡的狀況，很不好意思，我太太姓林，因為她也會收到很多信件，所以我們家的門牌或信箱上面都有寫上雙方的名字，也因此發生過一些麻煩事，像附近的日本太太有一次就說：「戴先生夫婦感情這麼好，為什麼還老維持著同居關係呢？」（笑）

還有一個例子就是華僑。有一位華僑要讓小孩去上某一所貴族女校，老師都保證可以考上，不過那小孩卻落榜了。事後請人調查的結果，原因竟是「同居關係不符合本校校風」，這真是個悲劇。因為是中國人，所以沒有用日本人的感覺去思考，只是照事實寫上去。

板垣：不過，這裡的誤解與其說是異文化接觸上的問題，倒不如說是有些粗心的誤解。

戴：因為，日本人還是用自己的框框和生活節奏來打量別人，那並沒有多大的意義。

板垣：以伊斯蘭教徒的情形來說，標準的名字寫法開始是本人的名字，其次是父親的名字，再來則是祖父的名字。女性方面也是先寫本人的名字，接下來的兩個才是父親和祖父的名字，並沒有姓。

以前在編世界人名字典時，我和一位編輯有些往來。即便是日本，在思考百年前的事物時，當然都應該要轉換一下腦筋的，但當時那位編輯卻堅信全世界的人應該都有「姓和名」。

在伊斯蘭，以個人的立場來說，不論男性或女性，都在他們的父親、祖父、曾祖父這樣一個可回溯的系統之中，因有個人定位的問題，所以，婚後改名字這種事是不可能想像的。

以伊斯蘭之名下反對蓋頭的想法

戴：日本好像沒有相當於伊斯蘭的蓋頭和中國纏足的東西吧！

板垣：這兩種一般不會並列吧！

戴：我只是想把具象徵性的伊斯蘭女性蓋頭是否該卸下，或者卸下它的意義何在等等，拿來和纏足的廢止一併思考罷了。

板垣：在俄國革命擴張的過程中的中亞，曾有過一番脫去伊斯蘭女性蓋頭運動是具有很大意義的局面。以伊朗來說，現在對革命有覺醒的女性，都會戴上這傳統蓋頭，那是政治化的女性的某種制服，她們藉此使自己的身分獲得確認。

川本：那是一種自我確認。

板垣：是的。這種自我確認不是在脫下伊斯蘭蓋頭時，而是在戴上它時，才被賦予意義。

《可蘭經》裡面，有一段話是這樣的：「女性除了父母親、兄弟、自己的孩子之外，不得向他人炫耀自己美麗的部位，或者刻意採用引人矚目的走路方式。」而其中卻沒有提到必須戴蓋頭。那不過是在思考及習俗上，經過好幾個階段才塵埃落定的一個方式，因此，在伊斯蘭的名下反對蓋頭的想法，是可能的，而戴不戴根本不是問題的這種立場，也是可能的。

川本：就和踏繪〔譯註：江戶時代為證明不是天主教徒，讓人用腳踩刻有聖母瑪利亞與耶穌像的銅板或木板〕一樣，踏繪也是說不一定要捨棄信仰，只要在形式上踩一下就可以了，它們就是用這樣的說服方式，讓人們去踩踏繪畫，以做為不反抗現行體制的一個象徵。伊朗也是在最近才為戴不戴蓋頭賦予政治意義。

板垣：那是1970年代末期的問題，是反抗美國文化的表態。

川本：就這個意義來說，這應該與伊斯蘭復權的部分有所交集吧！

板垣：不過，並不是所有人都這麼想。也曾經有過反對戴蓋頭的集會遊行。從歐洲人開始感到個人或個人的自由是一個問題的很久之前，中東就已經確立了個人的立場。戴不戴蓋頭、一天是否要膜拜五次，或喝不喝酒，這些都是屬於個人責任，並沒有男女之別，總之，個人的立場在過去就獲得確立了，我想這一點可以這樣想。

個人與家＝近親結婚的問題

戴：在日本，大家對於表（堂）兄妹結婚好像反而沒有抗拒，但中國卻很少有這種情形，這是為什麼呢？在日本，親戚關係會因為表（堂）兄妹結婚而再加強，而中國則是個人的確立——不一定要是歐洲式的個人，它也可以是阿拉伯式的、伊斯蘭式的、中國式的個人。在已確立的地方，一個不小心，就會因為婚姻的失敗而使得表（堂）兄妹的血緣關係，以及更親近的親戚關係遭到破壞，因此，這應該也是為預防這些事情發生的一個生活上的智慧吧！

板垣：以伊斯蘭的情況來說，表（堂）兄妹結婚有時也被認為是一件好事。其原因可以說是因為，站在個人的確立之上，反而正因為如此，同族意識或者族結合的意義才會在別的次元受到重視。族的結合以及個人的問題，這是相當有趣的問題。

川本：我感覺近親相姦的禁忌，在日本好像不太有，即使到了最近，我們也不太會很清楚地去察覺到禁忌的存在。

其中一個原因是，有一個「家」在那裡，而一旦嚴格遵守近親相姦的禁忌，這個家就會崩塌。十年前，我到農村去做調查，曾遇到和自己阿姨（包含姑姑）結婚的人，他沒有不好意思，也沒有罪惡感。

戴：以中國來說，說是要守住家產，因為是均分繼承，所以沒有那種事。就像川本先生所說的，一旦家／家格／家產並排成一條線，既然都已經嫁到這個家來了，丈夫若戰死了，只要他的弟弟還不太討人厭的話，嫁給他也沒關係。剛開始時，我對這種結婚感到非常不可思議。

板垣：伊斯蘭法裡頭規定，女性也有繼承權。西元7世紀初，伊斯蘭的成立，可說就是意味著禁止殺害嬰兒（「間引」〔譯註：即間苗，與殺害嬰兒同義〕），以及認同女性有繼承權的社會集團誕生。

養兒育女的權利——該怎麼看待女性的角色

板垣：有關過去女性在生產方面扮演何種角色這點，其實還沒有出現正式的研究。例如像是女性的社會隔離等，這些翻遍《可蘭經》也找不到。然而，在現實生活當中，依循這個方向來說明傳統，並欲努力將這個制度維持下去的勢力，卻是有的。

不過，無論站在什麼樣的立場，一般而言，以文化的傳達，或者社會教育的立場來說，家族是非常受到重視的，而家族中女性的角色更是極為受到重視。

利比亞的格達費（Mu'armar Ghadhafi）曾寫過一本書，書名是《綠書》〔*Green Book*〕。感覺上好像是把《毛語錄》的紅色變成綠色的感覺。其中第三部的「社會問題」當中，有一個部分是強調女性的育兒權，也就是養育兒女的權利。

按照歐洲式的想法，為了保障女性進入社會，托兒所等這些社會性的分擔育兒的設施必須很發達。相對於此，為什麼要從女性那裡奪走在家庭養育小孩的權利呢？這是格達費的立論。

女性在社會性場合中的活動，大大地受到強調；同時，育兒權利的行使，也充分地獲得保障。格達費表示，必須建立這種社會才行。

也就是說，在家裡的育兒、教育、家庭的維持，這些職掌與活動在女性的社會角色上是相當受到重視的。

川本：日本則是一提到將女性從家庭解放，就變成女性要到外面去賺錢回來。

板垣：伊斯蘭，例如沙烏地阿拉伯，未來將會如何改變，我不是很清楚，不過到目前為止，這個社會是讓人感覺總是把女性封閉在家中的。女性開車，就是很不得了的事，有一位美國女性曾經因為在沙烏地阿拉伯開車，就被驅逐到國外，也有這一面。

川本：要說女性的地位在伊斯蘭如何，也是相當困難的。雖然伊斯蘭的家庭，或者家的存在方式都與日本不同，但也有相同之處，而即便是在和中國比較的情況下，也不難感到日本的「性」或「家族」是一變種。

本文原刊於《月刊NIRA》第2巻第7號，東京：総合研究開発機構，1980年7月，頁10～17。爲「性と家庭」特輯內文章

重新燃起對民族統一之願望

——回顧華僑「客家」世界大會座談會

◎ 謝明如譯

時間：1980年10月6日

地點：東京品川太平洋飯店

與會：邱添壽（世界客屬第五屆懇親大會主席）

邱進福（世界客屬第五屆懇親大會執行委員長）

謝坤蘭（世界客屬第五屆懇親大會執行副委員長）

戴國輝（立教大學教授）

傅堯箕（來自中國的醫生，東京大學胸部外科研修中）

楊貴運（大學教授）

安田茂晴（世界客屬第五屆懇親大會執行副委員長）

林細辛（世界客屬第五屆懇親大會執行副委員長）

中川學（一橋大學教授，客家研究者）

主持：吉田實（《朝日新聞》編輯委員）

世界的華僑約2,300萬人。約占其中的三分之一、擁有700萬人的「客家」（漢民族的一支）族群的第五屆世界懇親大會於（1980年10

月）3至7日在東京、大阪舉行。有來自世界各地、千人以上的代表參加，此乃首次在日本的華僑社會所舉行的國際性集會。而且，本次有別於過去四屆懇親大會的一大特徵，係首次有來自中國本土的客家出身者參加，雖說是以個人的資格。此一現象既表現全世界客家人的團結，亦強烈地隱含客家人希望超越政治、追求中華民族和解與統一的宿願。此一理想在實際上雖無法突破「政治之壁」，但從過去四屆的歷史脈絡中了解的話，可說已在曲折中跨出一小步。在此有來自中國大陸者、在台灣設籍者，以及持有美國籍、日本籍的客家出身者齊聚一堂，一面回顧本次的世界懇親大會，一面互相討論成果、問題點及今後的理想等。

吉田實（以下簡稱吉田）：傅先生，您從中國大陸首次參加客家世界懇親大會，感覺如何？請坦白說出您的感受。

可理解同胞的努力

傅堯賓（以下簡稱傅）：我是以客家出身的名義參加，全憑個人判斷的資格與會，這個會議似有強烈的前近代式集會觀念，一開始讓我有不適應的感覺。我生在台灣，在日本受教育長大，不管怎麼說，1953年前赴中國大陸後已歷27年。不適應感乃因新中國視同鄉會式的集會為宗派主義而排斥之故。

然而，3日晚上實際出席該會，看到客家同胞們打破自我的局限，努力不落後於世界潮流的身影，覺得自己似乎了解了什麼。又，我一邊聽著客家「山歌」（生活或戀愛之歌），一邊深切地感受到溫暖。滑稽的是，與我同為中壢出身而接近的台灣人，看到我胸前的「北京」字樣，便逃之夭夭。

邱進福（以下簡稱邱進）：我們主辦團體之客家組織向來揭示：不干預政治；不介入會員個人的主義或思想；不問會員的國籍等三大原則。本次世界懇親大會上，僅懸掛孫文先生的遺像和客家的旗幟，沒有揭舉其他旗幟，以這樣的姿態迎接本會，是因為抱著希望客家團結與民族和解，進而追求孫文先生所說的「世界大同」的強烈心願。

吉田：透過採訪，可以了解主辦單位此一理念和辛勞。然而，實際上亦有矛盾。4日的大會上，掛有美國、泰國、日本等八面代表團居住國之旗幟，其中，也有一面「青天白日旗」。其次，這些旗幟雖於當日晚間日本客人參加的大宴會上被取下，但在餘興的舞獅表演結束後，卻有兩名女性展開寫著「中華民國萬歲」布條之場面。

戴國煇（以下簡稱戴）：這些舉動引發非常強烈的抗議和不滿，確實是矛盾。然而，日本華僑中90%為台灣出身者，1,000名出席者中，有600名來自台灣。好不容易舉辦的懇親大會，我為避免造成大會的混亂，而「中華民國」也是孫文先生所創，於是，說：「好了！好了！」而請其收斂。

期望國民黨方自省

楊貴運（以下簡稱楊）：國民黨的作法太過敏感。在聚集來自世界各地的客家人的國際會議上作這些舉動，將導致友少敵多的結果。

林細辛（以下簡稱林）：雖然有各種困難的事情，但希望能尊重我們民間團體的主體性。

戴：說到這事，率領泰國進德校友會成員前來的藍東海團長亦強調國民黨方面有改善體質之必要，且評價本次大會的標語——克服舊來的陋習、趕上世界潮流——並不限於客家，而是為了華僑社會全體，甚至是全中華民族的體質改善。

吉田：擔任大會主席要務之邱添壽先生想法如何？

邱添壽（以下簡稱邱添）：我已上了年紀，雖不懂政治，但盼兄弟鬩牆能早日和好。同一民族隔著小小海峽，卻連自由來往都不可，實在非常可惜。我很想祭掃在廣東省的祖墳，這是我的宿願。若能達成民族的和解和統一，即使要我犧牲性命，亦在所不惜。

楊：和解可能還需要一段時間，在此之前，盼望能先解決台灣的人權問題。例如國民黨撤除非黨員的客家人許信良之桃園縣長職位，逼其前往美國，不許其返鄉。又，只是要求政治民主化而集會，卻有大量民主人士被彈壓的高雄事件亦是如此。大多數在美華僑都將之看成大問題。

在大陸也是，我聽說台灣出身、曾為共產黨領導者的謝雪紅遭受迫害，這樣不好。

傅：的確，中國在文革時代也因「四人幫」橫行，台灣出身者非常艱苦，可說是被「差別對待」。不過，當時劉少奇、鄧小平等人亦被糾彈，此乃大陸整體的問題。但現在有如西藏問題一般從內部出現重視主導權之動向，對台政策亦大為轉變，不再使用「解放台灣」之說法，只要台灣不使用國名、國旗就好，變成這樣的情況。

戴：中國大陸的新路線是否真的確定了？

傅：不僅是文革時代的極左路線，中國也正認真地反省1957年以來的錯誤。我確信中國不會重蹈二十餘年的覆轍，使極左路線再度抬頭。

吉田：然而，本次的懇親大會，很多人認為要向第二次世界大戰後日本奇蹟似的經濟和文化發展學習，請毫不客氣地提出對日本的期待和要求。

場面話與真心話交纏

謝坤蘭（以下簡稱謝）：做為中華民族的一員，我期待著民族的和解和統一。但在各自所處的環境和條件的制約中，有必須分別使用場面話與真心話之處，亦有話到喉頭卻不可說的情形，希望日本友人對此充分理解，並共同思考、給予協助。在這一點上，我非常高興日本媒體報導大會動態。

安田茂晴（以下簡稱安田）：我們居住在台灣者，曾與日本人相同，做為「皇民」而被迫承擔戰爭的義務。無論是否願意，都拚命努力。其結果出現許多的死者和傷痍軍人。然而，敗戰後則無下文。希望成為經濟大國的日本、這位曾經的義兄，能夠親自協助台灣這個義弟。

戴：乞丐的根性是不可以的。秉持民族的自尊、要求日本負起責任的態度非常重要。歸化之際「改姓名」亦可說是如此。我認為，若能以本來父母給予的名字取得日本國籍，與居住國民融合，則可積極地協助建國。

傅：我想談談關於大陸上中日戰爭孤兒的問題。東北地方（舊滿洲）的戰爭孤兒特別多。日本方面的關心似亦頗高，但可惜的是，日本政府仍不許未釐清父母身分者返鄉。希望日本政府對於中國養父母之證詞及長大後的孤兒自身之期望表現柔軟的因應態度。

吉田：請日本少數客家研究者之一、以會友立場出席的中川先生發言。

中川學（以下簡稱中川）：我對於本次大會的手冊封面使用世界通用的西曆年，以及在會場正面只以客家前輩孫中山先生的遺像為裝飾一事抱持好感。宴席上的山歌彷彿有津輕山中民謠之餘韻。又，我對於聆聽混合使用客語和日語者的談話竟不覺得逆耳而感到不可思議；屬於漢民族的客家人也喜歡泡澡，包含這些事例在內，我深深體會到客家人與日本人的相近之處。

吉田：如何自我評分本次的懇親大會？

邱進：就最初的理想而言，雖不能說達到百分之百，但綜觀會場內外的反應，約可打上95分吧！會場上，也有在台灣其數壓倒性多的、出身於福建之友人也露面了；日本的友人亦爽快地出席，其中還有捐獻百萬圓者；大宴會的表演上，還有18人特地遠從台灣前來為大家免費演出。日本媒體如此大篇幅報導亦是始料未及。

雖然國民黨強烈要求在大會會場正面掛上青天白日旗，但最後只有掛孫中山先生的遺像。雖有小波瀾，但我認為由現場上的任何人來籌辦，都無法超越這樣的作法吧？

戴：95分不會太高嗎？若從無法完全貫徹政治三原則來思考，大約75分吧！

努力貫徹三原則

邱進：還有一點。與過去的懇親大會相比，第一屆到第三屆在政治上是「一面倒」，第四屆政治的色彩稍薄，只有第五屆這次，雖有曲折，但大陸、台灣人皆可參加。我希望大家一起努力，深切地反省不足之處，並貫徹三原則。

中川：我希望中國人獲得最大限度的自由，並實現具包容性的統一。如今可說開始出現這個徵兆了！

吉田：民族的和解和統一，今後該如何開展呢？

傅：可惜的是，中國沒有一個得以代表大陸客家的首腦階層成員能夠來參加。我認為正式邀請的話，他們應該會出席。今後希望積極做這一方面的努力。

謝：能夠救贖被地主剝削的農民之痛苦者是孫文等革命家們。現在的大陸，意識形態並不執著於社會主義一種，而採用資本主義的成果推行近代化。希望大家注意這一點。

吉田：去年秋天訪問中國，孫文的地位在大陸也確實被重新評價了，印象中與文革時代非常不同。4日晚間的大宴會上，亞東關係協會的馬樹禮先生不也說應發揮中華民族的大智慧，探尋和解之道嗎？

傅：媒體亦報導來自大陸的船員暫時登陸，或桌球代表團乘坐的飛機因天候惡劣在台北附近的機場休息之際，與台灣民眾談話之新聞。又，在大陸，台灣製的電鍋免稅輸入，頗受歡迎。人或物的交流更加進步，製造了互相直接接觸的機會，糾葛之問題亦將隨之化解吧！我由衷地期待。

本文原刊於《朝日新聞》，1980年10月11日，11版，第6頁

精確張望四方的「吹牛大王」
——內村剛介vs.戴國煇

◎ 李毓昭譯

對談：內村剛介（本名內藤操，上智大學教授）
戴國煇（立教大學教授）

殖民地的經營學

內村剛介（以下簡稱內村）：後藤新平曾經擔任滿鐵總裁二年多，時間很短。他建立的滿鐵也在39年後垮掉，然後又經過了35年。後藤是經營殖民地的人才，我們目前是站在其事業崩毀的遺蹟上，因此可以說他的歷史存在已經完結。

後藤是在當醫生時，聽到板垣退助〔譯註：1837～1919，日本明治維新的功臣，也是自由民權運動家，日本第一個政黨自由黨（自民黨的前身）的創立者，土佐藩出身，但反對世襲的貴族制度。曾於1914年來台參加台灣同化會〕喊出「自由不死」就跑去參加，不過他原就無意以醫生終其一生。

其後，後藤以行政長官的身分在台灣八年的期間，在兒玉源太郎的庇護下，自由自在地擘劃自己的藍圖，也實際去推動。我認為他做為經營者的格局，是在台灣時代形成的。正因為有兒玉，才會有後藤。

在預料日俄戰爭日本會獲勝時，後藤便飛奔到滿洲軍總參謀長兒玉源太郎那裡，參加滿鐵的計畫，然後於戰勝後為了滿鐵的創業投入兩年多時間，為其後屹立39年的滿鐵打下基礎。

好不容易從俄羅斯搶到南滿洲鐵路，會不會又被搶回去？當時大多數人都有這樣的危機意識，覺得處境艱難，後藤卻認為「不會，問題是在中國」，而先去見了西太后。我認為，觀察中國的眼光就是他處理台灣行政時產生的。因為這樣，對於後藤新平台灣很重要且是基本的。請教在台灣成長的戴先生，我想探討政治家後藤新平的原型是什麼？

戴國煇（以下簡稱戴）：如同剛才內村先生所說，規模那麼大的滿鐵最後還是垮掉了。而在滿鐵之前得到的台灣，也在最後於近代日本以核彈爆炸為象徵的崩壞中還給中國。只是歸還的方式至今仍迂迴曲折，不知道以後的發展如何。

這些先撇開不談，不論好與壞，我都是提供舞台給後藤新平那一方的人。總而言之，台灣是實驗用的天竺鼠。我無意賦予「天竺鼠」任何價值，但台灣是近代日本第一個殖民地，這是歷史事實。既然擁有殖民地，就不能不展開殖民地政策。日本之前雖然也在國內擁有殖民地，但是以近代資本主義的生產模式為基礎的殖民地政策，首先是在台灣推行的。

我認為後藤新平具備卓越的才華。中國有句話說：「時代創造英雄，英雄創造時代」，這和「蛋生雞或雞生蛋」的問題一樣。如果把這句話套用在後藤新平身上，他究竟是屬於哪方？

若依照日本的美學，就不能說死人的壞話，也不能鞭撻已故者。像大平正芳〔譯註：1910～1980，日本前總理〕過世時，各大報對他生前和死後的評論變化之大，令我訝異大新聞都可如此豹變。既然有「君子豹變」這句話，應該就沒什麼關係。

話說回來，我看過一些回憶後藤新平的文章，可以從字裡行間察知，後藤生前給人的評價很差。這是沒有辦法的事，因為他的想像力非常豐富，行事也很突兀激進。他所留下的「牛皮大王」的風評很有趣，但他的預知力至今依然準確，所以我認為他是近代日本的大人物。

另一方面，他是小藩出身，也不是正規醫學部的出身。雖然富有才華，但是在當時日本當權者的眼中，不過是旁系出身者。但能夠在最後滿足自己的野心，做到自我實現，或者說使自己的能力發揮到將近百分之百。就這意義上來說，我很肯定他是精確為自己掌握到時代的人。歷史上有太多人即使獲得了天時和地利，也無法完全掌握。可是後藤完全掌握並扮演好角色，也留下「他創造了時代，時代也創造出後藤新平這個英雄」的結果。

可是，後藤新平也有一些之前少有人提及的事情。他在台灣成功的事蹟非常多，關於他成功的原因，他的第一個手下、年輕的土木技師長尾半平，在後藤死後這麼寫著：「有人認為『兒玉、後藤也許很偉大，但如果台灣和北海道一樣，從青森到函館的最近距離只需花上四個小時，而且生蕃或土人也像愛奴人一樣順從的話，他們就不會有那麼大的成就了。』」

此人的論點，在鶴見祐輔的《後藤新平》一書出版後，就再也不是日本的一般看法，而被認為後藤是因能力高強才能在台灣成功的想法居壓倒性多數。可以說只留下膚淺的看法，而將拒斥他的一方，亦即台灣內部的情況，完全排除在視線之外。換句話說，以立體或總合審視殖民地統治的觀點都消失不見。由於體制的灌輸，日本人對歷史的認識變得遲鈍。

被殖民者中的少數民族（今高山族）被稱為「生蕃」，漢族台灣人被稱為「土人」，而這些人組成的抗日游擊隊更一概被稱為「土匪」。我們的祖先被簡單貼上這些標籤，吃盡苦頭，在《匪徒刑罰令》之嚴苛的法律下，因為後藤新平在統治初期想要以「殺雞儆猴」穩定治安而慘遭毫沒道理的殺害。

在指出後藤受台灣拒斥的背景時，他的第一個手下只提到「有人」，沒有明確指出是誰這點很有意思，而此一針見血的見解也令人深感興趣。並不是因為我是台灣出身者才大唱輓歌，而是因為從整體上去掌握歷史是很重要的觀點。

內村：那麼讓滿鐵總裁後藤新平受到排斥的到底是誰，話題應會關聯到吧。

戴：剛才我提到後藤是旁系，他因此（正統出身的人會想待在本國）毅然決然把近代日本第一個殖民地當成舞台。當時的法科大學（舊東京帝國大學法學部前身）的人做不到這樣也是極為理所當然。我們看他後來帶到滿鐵的手下，雖然不是沒有東大出身者，但沒有一個是在中央政界出風頭的人物。不知是他沒有辦法挖角，還是因為盛傳殖民地台灣有瘧疾這種風土病，或者有生蕃，而且殖民地統治者本身帶有失去性命的風險，因此「正統」派菁英覺得還是待在霞關比較好。

輔佐後藤新平擬定包括初期的農業政策之產學政策的新渡戶稻造，不過是北海道大學出身的技師，以當時的官僚體系來說，還遠不是局長，也沒什麼地位。後藤卻以三顧之禮，將他請到台灣，給予代理局長的待遇。很有趣的是，這個新渡戶在加拿大生活過，我記得他的妻子也是加拿大人。他有睡午覺的習慣，與後藤還曾有如下對話：「在台灣能讓我睡午覺嗎？」「可以，我也讓你睡午覺。」

接著，剛才提到的長尾半平只是埼玉縣一個土木課長。後藤卻硬將他拔擢重用，讓他跳級當局長。當然薪資非常高，加上殖民地官吏有特別加給，不論在精神或物質上都受到優遇。

不過，或許沒有答應他當局長，他就不肯去了。同時也因為是殖民地才能這麼做。其中的背景就如同內村先生所指出的，有兒玉這個長州出身、陸軍首屈一指的幹才當靠山。他們兩個人大概是在甲午戰爭為復員官兵做檢疫時意氣相投，兒玉才讓後藤放手去做。就這一點來說，我覺得後藤是很符合歷史需要的人物。

飴與鞭的邏輯

內村：戴先生的意思是，正因借給胸膛的台灣人非常頑強地抵抗施政官，他才能在衝撞中提高了實力嗎？

戴：是的。

內村：另一方面，後藤自己不是正統派，而從吃冷飯的一群人中去發掘人才，才得以將處境從負面轉為正面。為什麼他做得到呢？必須有從地方上考察的必要。

後藤成長於水澤，去到福島縣後，只在須賀川鄉下的速成醫學校念了兩年。當時從鹿兒島以知事待遇赴任的新官完全聽不懂東北方言，後藤就成了供品，被派去當工友。名義上是工友，實際上卻是口譯員，負責東北方言和共通語的口譯。這個伶俐的少年懂得摸清事情的來龍去脈，再以簡單明瞭的方式說明。工友後藤就這樣踏進社會。他當時服侍的人就是後來在二二六事件〔譯註：1936年2月26日發生的軍事政變事件，1,483名陸軍青年官兵發動軍事政變，殺害大藏大臣高橋是清、內大臣齋藤實〕中被殺的海軍大將齋藤實。

對於後藤、齋藤等東北出身的人來說，這是敗部復活戰。維新的輸家為了再次當贏家，就必須緊跟著新官僚，靠其推薦進入社會。事實上，後藤日後就娶了這個新官僚的女兒。

戴先生說：「日本或許經營過國內的殖民地，但是在國外的話，台灣是第一個。」東北確實在雙重意義上是國內的殖民地。

首先，從會津這個陷落的城池也可以知道，落敗後被當成逆賊而受到殘酷無比的征伐。而且，不只是明治時代，直到最近，東北在產業上也是國內的殖民地。後藤起步時，就背負著這種雙重的國內殖民地劣勢。這一點也是後藤能夠在台灣順利施展身手的原因之一，我要將它加上。

受過支配和歧視的人，很適合用來管理被歧視的殖民地，這是中央政府自古以來的智慧。在後藤的時代，掌管中央政府的薩摩或長州的那夥人，全都經歷過腥風血雨。因此，應該很清楚怎麼做最有效。這是那夥人的本能，如嗅覺般靈敏。那夥人運用以敵攻敵的既有策略，拔擢之前的東北鄉下舊敵。您的看法呢？

戴：您說得對極了。台灣在種種意義上都是實驗台。例如以醫學實驗來說，也是絕佳的舞台。近代戰爭造成的創傷或伴隨戰爭而來的傳染病等問題，是明治7年（1874）出兵台灣時碰到的。以前的幕府和薩長的戰爭是以刀傷為主，出兵台灣時除了槍傷之外，也體驗到熱帶風土病。

內村：在國內還有西南戰爭吧。

戴：是的，西南戰爭是在那之後的明治10年。

內村：那時他去京都出差時也接觸到。

戴：對。這在歷史上非常有意思，剛才提及的，借給胸膛的台灣人很遺憾的確實被犀利地看穿了「弱點」。

內村：沒錯。

戴：怎麼被看穿呢？這件事廣為人知，後藤新平是這麼說的。「支那人」有三種性格，其一是怕死，這或許帶有當時日本武士道切腹的美學在。因此，「支那人」也害怕鞭子。害怕死亡和鞭子，換句話說，就等於讓人有機可乘。

內村：是的。

戴：其次是愛錢，最後是愛面子。我為了確定這句話的出處，昨晚在書庫翻找了好一會兒，但因為正在進行一個研究工作，許多書堆疊在一起，結果沒找到。不過，後藤對台灣漢族的觀感應該是這樣沒錯。這與他後來經營滿鐵、與西太后見面，以及對中國的策略都有關係，值得注意。

至於我們的下場如何，首先要說的是，本來怕死和怕鞭子就是每個民族共通的心理，但台灣對後藤來說是第一個殖民地，他是以戰國時代以降逐漸形成的日本獨特的武士道精神——在我們中國人看來，那只是極為自以為是的作法——來看待中國人。但是把中國人全部殺掉毫無意義，所以只把不合作的人徹底消滅。這就是「鞭」的政策。

由於「支那人」愛錢又重視面子，這一點就可以反過來利用，所以又加上給與飴的作法。於是在那段時期，我們的長輩就這樣任人擺布，被各個擊破。從歷史的結果來說，他們不是被打敗，而是在各個階段被識破心理、掌握弱點，中了離間計。尤其是地主階級。「統一戰線」（當時沒有這個用語，但有很接近實際的情況）被割裂，我們的抵抗運動終歸失敗。如同內村先生所說的，那時是利用最底層的人在實行，所以手段極為殘酷。當時根據的法律是《匪徒刑罰令》。例如集會時稍有類似抵抗的行為，就不分青紅皂白加以殺害。至於合作的地主，當農民有抗租等抵抗行為時可得到保護。

後藤還在別墅（南菜園）等地邀請台灣讀書人，一起作漢詩、吃大餐，送他們禮物。這是非常大的籠絡，體面的收買。趨炎附勢的中國士大夫根本無法招架，真是可悲……。本來以中國傳統讀書人階級的觀點來看，總督是官，代表權威。後藤上任的明治31年時，還沒有近代民族主義的意識，即使有也才剛萌芽。像日本逐漸形成日本人意識是在明治20年代以後，因為我們中國人傳統上是不信任皇帝的。何況清朝是滿人政權，一般漢族台灣人都覺得與自己無關。總是會有與庶民全然無關的總督或巡撫來就職，管他是日本人還是清朝官吏，一般來說沒什麼差別。傳統上，清朝的大官是待在衙門深處，日本的歷代總督則是戴著勳章，威風凜凜。然而，新總督卻是騎在馬上，雖然一樣威風，卻會請大家吃飯，一起作漢詩，似乎很有意思，讀書人便順服了。

而且，以前的地主（要注意的是，當時台灣是中國的新國內殖民地，秩序尚未完全建立）經常會遭遇農民暴動，滿清政府卻從來不曾保護，一旦後藤等人願意保護，買辦地主就會覺得要靠後藤等人來維護利益。

不僅如此，後藤還讓地主階級吸食鴉片。他最初認為絕對要禁止。「我們之前那麼尊敬的中國不是在鴉片戰爭中落敗了嗎？台灣不禁止鴉片，就會傳到日本去。」不過，實際上並不需要擔心會傳到日本。而且如果真的禁止鴉片，就會形成抗日的統一戰線。吸食鴉片者都是上流階層或底層的貧民，中間真正從事開墾的農民層並不吸食，也沒有餘錢購買吸食。一般稱為痲藥。

後藤後來改變絕對禁止的看法，提倡「漸禁」。畢竟不掌握這兩個階層是不行的。他們稍微出點錢，就能得到特許證，而可以吸食。有鴉片癮的富人就妥協了。

剛才提到後藤新平來自東北地方，原在水澤當工友，是從底層升上來的。其實前往台灣的殖民地官僚幾乎都來自九州或鹿兒島非常貧窮的人家，下級官吏更是如此。這與警察官僚有關，但這種底層人士的組合，為初期的鐵腕鎮壓立下非常大的「功勞」。

還是有這樣的一面，如同「淘金熱」中，在美國開拓西部的白人砍掉印地安人的頭顱，追求一夜致富的夢想，當時在日本沒飯吃的人也來到台灣。可是他們沒什麼錢，台灣又不像美國大陸遼闊，人口密度非常高，因而沒有餘力收容日本的貧民階層，因此問題層出不窮。後藤就付旅費將不需要的人送回日本鄉土，總共兩千多名。這個作法很厲害，是巧妙運用權威的例子。

他因是醫生出身，懂得去了解實情，對現實有敏銳的看法，才能充分掌握中國人的心理。這裡指的中國人終究是上層階級或地主，但他畢竟漂亮地擊破了台灣的統一戰線。不聽話的人用鞭子對付，聽話的人就頒授勳章（稱為「紳士章」）。而像我祖父、父親那一代很難對付的人，就當成敵人加以消滅。

內村：您這番話非常有意思。正因為那一代繼承了「死有輕於鴻毛」的武士精神，才能夠對抗怕死的中國人。那是幕藩的遺產還能產生影響力的時代，應該是明治前期吧？

戴：是的。

內村：中國有總督制度，台灣人認為當下的統治者不是皇帝，而是總督。日本人巧妙地將這種觀念脫胎換骨，利用中國文化統治，在別的地方就會一敗塗地了。

統治者和勞動者一起吃飯的話，例如在印度會受到輕蔑的眼光，事情會因為這樣而全部失敗。在少數人擁有絕對權威，不聽話的傢伙都會被格殺的英國式統治傳統的地方，這麼做反而會有反效果。

現在也是一樣。日本商社或廠商去倫敦時，不會與當地所僱用的職員一起吃飯。由於他們是地位低賤的人，而那邊的人也不想和他們吃飯。在那種世界裡，後藤的作法是行不通的。不過近來索尼（Sony）在美國讓白領與藍領一起吃飯，非常受到好評，所以這方面也要因地制宜。

排除抵抗時，到處都有割裂與分別統治的作法，用《匪徒刑罰令》來禁止集會，我想是從幕府末期的動亂中學來的。

聽到剛才的三種中國人性格，我想起史達林時代，誰都有對死亡的恐懼，不怕死的人最難應付。這是武士留下來的性格。實際上在布爾什維克初期的革命家，或從事地下運動的人都承受過死亡的恐懼，最後也都被史達林殺掉。以隨時都可能喪命的恐懼來震懾對方，給予精神上的恐嚇。這種恐怖手段後藤也採用。

另外還有以金錢利益引誘。後藤以金錢去勾引台灣的資產階級。對於不因恐懼屈服的人，史達林也曾以授予地位或較理想的差事等方法，加以吸收成為自己的部屬。

因此，在割裂上採取恐怖手法或以金錢引誘這一點，這兩人的作法完全一樣。

戴：他們都擅於利用飴和鞭的組合。

内村：是的。後藤使用的方式與史達林不謀而合。不過，其中有一個無可奈何的問題。日本雖然打贏了與中國的戰爭，卻經常在外交上吃鱉，就是因為有面子問題。

日本人覺得面子是輕飄飄的、沒有內涵的東西，因而以為「既然中國人重視面子，就給他們面子好了」。可是對中國人來說，面子並不只是面具。如果硬要撕下面具，就會連同整張臉都撕下來。這東西在臉上已很久了。

戴：和實質連在一起了。

内村：一定會和實質連在一起的。在我看來，調整情況與自己所持文化的接觸點就是所謂的面子。客觀的情勢是這樣，可是叫我的臉往哪裡擺。雖然與客觀情勢不一致，卻不會因為不一致就割掉不要或滾一邊去。雖然情況有激烈的變化，卻會給予前面發言的人依狀況調整的時間。這就是「重視面子」，不是像日本人所想的那麼膚淺。

可是，布爾什維克沒有這種觀念，而他們目前正在與中國對峙。表面上是政治上的對峙，但也必須深入探討文化上的對峙。

因為不懂得面子，俄羅斯人被中國人稱為「大鼻子」。我覺得這個綽號取得真好。日語中的「鼻子大」指的就只有鼻子大，沒有內涵。這是文化上的輕蔑用語……。

戴：就像日語中的「土當歸的大樹」〔譯註：意指大而無用的人〕嗎？

內村：類似。總之就是說，那張臉的五官特別大，可是和內涵無關，只是掛著一個大鼻子而已。中國人則是不把內涵表現在臉上。「面子」就蘊含著中國人這種文化意識。

要說後藤的錯誤，應該是他以為面子可以根據了解的事實進行技術操作。其實不是這樣。我覺得面子的根源更深，連當事者也不太能夠明確地將之對象化。

戴：所以後藤新平統治台灣的戰術雖然成功，戰略卻失敗了，而這與滿鐵王國和日本帝國的崩解有關。不過這是我自己的邏輯。

「學俗接近」的發想

關於後藤在日本近代史上的定位，像杉森久英的《吹牛大王》〔《大風呂敷》〕一書中，把現在的新幹線歸功於後藤。我雖然不認為這部傳記寫得很好，但一般人並不太了解，所以在這一點上還是有一定的意義。現在的昭和通〔譯註：東京的街道名〕原型是台北的三線道路。前面說到台灣被當成天竺鼠、實驗台，都是讓他這個人成為可能的條件。縱使背後有一定的條件，但也不能沒有他想出來的點子。所以顯然必須說他是個政治家，而不是單純的政客。如果他是法科大學出身的官僚，八成不會有這種想像力。他受過兩年非正規的醫學教育，以現在來說那連看護學科都比不上，但是他後來當上愛知醫院的院長，對他的幫助很大。

首先，他有自然科學的思考，從某方面來說就是分析能力。能擺脫傳統的腐儒觀念，自由自在地思考，應認為對那個時代非常難得。總是要掌握現實，從現實出發。

另一方面，我覺得他本來就具備優秀的官僚資質。齋藤實加入海軍，後來成為海軍大將，他則是基於某些「陰錯陽差」而沒有去成，不管他對齋藤意識到多少，總之他一直都很努力。

相馬事件〔譯註：1892年後藤擔任衛生局長時，被捲進舊藩主相馬誠胤因精神異常被監禁在家而引發的糾紛，後來被以誣告共犯逮捕，坐牢半年後才獲得無罪開釋〕眾說紛紜，我想那是他投下的一個賭注。為了出頭天，一個男子漢對相馬家押寶。只是下注的方式太糟糕，才會被關進牢房。而在最後「解救」他、使他成為男子漢的就是兒玉。根據他日後的軌跡是可以這樣來看。

這麼想的話，就會覺得這個人是非常傑出的政治家，具有天賦的想像力。

但有一點卻意外地不被當成一般日本人的常識。他的語言學不出色，也不特別愛看書。儘管如此，他卻擅長用人。舉例來說，他任用精通漢籍的小泉盜泉。這個人在後藤擔任滿鐵總裁時失蹤了，後來怎麼死的也不知道，像怪物一樣，但也是非常傑出的漢詩人。另外，後藤也曾任用德語專家森孝三。

後藤設立許多研究機構，有許多掛他名字的著作和翻譯。可是他親筆寫的東西非常少。其實他都是叫小泉盜泉和森孝三等人先把書看過，再把摘要告訴他。他把那些人當成隱形的智囊加以利用，利用他們的翻譯或文章出書，而且也從中不斷汲取歐美相關的知識和新資訊。

內村：感覺有點像大宅壯一。不同的地方是，後藤是以分析、分工的方式做事，大宅則是一個人從調查到出書，身兼三、四種角色。不過大宅也試過集體翻譯，這方面或許可以和後藤相提並論。

戴：日本媒體開始使用「智囊團」一詞，我想是在甘迺迪執政之後。後藤組成智囊團的時間遠比甘迺迪早，後藤是昭和4年去世的，已經整整過了51年。除了剛才說的長尾和新渡戶不只是智囊，他也安置類似總統助理的職位。

只是有安置未必能好好運用。他對知識也有很大的好奇心，知道把學問與實踐結合起來是多麼有用。這就是他所說的「學俗接近」，在實踐中結合學問就是他一貫追求的。而且，他自身雖然有些怪癖，個性卻很有魅力。他也經常資助人，不知道是從自己的口袋掏錢，還是台灣的財政好到可以挪用，可以想見他也很懂得照顧人。我還認為他有組織的長才，才會有設立大調查機關的構想。

他在大正時代成為東京市長後，因前台灣殖產局長新渡戶稻造是一高的校長之關係，而得以把鶴見祐輔、前田多門等傑出的人才拉進來。鶴見甚至在日後成為後藤的女婿。

這個部分不弄清楚，就無法凸顯出後藤新平的形象。反過來說，到目前為止有關後藤新平的評論都是「一將功成萬骨枯」。以日本的美學來說，就是「沒關係啊，只要老大有名」。但因為我們要掌握的是立體與全面性的歷史，不能忘記輔佐他或與他對立的人。後藤新平只念了兩年醫學，閱讀德文書不可能毫無障礙。

內村：不過他在愛知隨德國人學習過，後來也去過德國……。

戴：是的，應該多少看得懂，可是他非常積極地接收美國或歐洲的新動向，不僅有很強的上進心，也接受周邊語言學人才的協助。這麼想比較合理吧。

內村：剛才戴先生提到智囊團和學俗接近，主要是說他無法一個人做好所有事情，雖然每個人的能力都是有限的，但各具強項，讓他們盡量施展，再將所有菁華納為己有。

後藤做的事情雖然只是起頭，但他的構想有一部分形成了滿鐵調查部，這個機關又在後來成為大東亞戰爭的智囊，另外也成為東京市政調查會。

不過，後藤是出身於自然科學領域，亦即是所謂的工程師變成經營者。我覺得這一點相當幸運。雖然他的自然科學還很貧弱，可是現在像蘇聯，如果不是工程師出身，就不能成為經營者。就這一點來說，他是非常先進的。可是談到政治家的層面，我想就需要完全不同的構思。戴先生對此還沒有說清楚。

戴：不，我對此還有補充之點。他雖然受過醫學教育，但那是很短淺的。他本來就適合走向政治，才會去德國留學時專攻醫療行政，而不是醫術。他自己應該也有自知之明。他或許治好了板垣退助的傷，但那種程度的醫術，離帝大醫科大學還很遠。他因此去德國留學時，決定以那些人不會選擇的醫療行政或公共衛生做為自我實現的路。而最後他也把醫學應用在政治上。

內村：原來如此。

戴：那時，他剛好碰到甲午戰爭的檢疫。那是東大醫學部出身的人絕無法勝任的事，他卻在德國看過，而他吹出的牛皮應該也很有說服力與動人的力量，決斷力也不缺。因此他在首次退役〔譯註：當軍醫〕回來時，在思考接下來的路途時，就決定投入兒玉的麾下而下功夫幹了。

內村：那是在相馬事件發生後，他的人生陷入谷底時。

戴：是的。

內村：兒玉把他拉拔上來。

戴：是的。在我看來，他這個人非常懂得利用自己遭遇的歷史情況和條件。

內村：據說他進內務省時，是因為他當愛知醫院院長的薪資非常高，被挖角也得到非常高的薪水。因此官學出身的菁英北里柴三郎忿忿不平而大發牢騷。後藤卻是完全突破了這個障礙，後來還和他結為朋友，沒有使這件事成為疙瘩，可見他這個人確實有魅力。

戴：後來他還對北里伸出援手。

內村：是的。他是醫生，做過很多外科醫生會做的事，但恐怕曾在戰時沒有麻醉的情況下，就將病人的腳切斷。

戴：這是完全可以想像的（笑）。

內村：他本來說是醫生，卻和森鷗外一樣研究衛生學，有與軍人接觸的立場。當了軍醫，就在戰爭時以粗暴的方式治療。沒有麻醉就切除大腿骨，病人根本受不了。他在台灣也是這樣。

戴：沒錯。

內村：親自實踐「學俗接近」。

戴：要是有人仗著帝大這塊「招牌」逞威風，據說他的反應是：「啊，那裡是殘障的培訓所。」他尊重學問，但並不尊重考試成績高的人。當然，帝大對他來說是個不愉快的地方，因為他進不去。

那時，帝大法科大學出身的官僚，都認為「台灣有獵人頭的生蕃，有風土病和土匪」，將不聽話的台灣人隨便稱為「土匪」。還說「那地方太花錢了，不如以3億圓賣給法國」，一口咬定台灣沒什麼用處。

內村：因為沒幾年就換了四個總督。

戴：是的。可是對後藤來說並不能如此。畢竟那是他得到的唯一的機會，攸關成敗，所以他要放手一搏。

儘管很努力，但功績並不專屬於他。他當時是利用智囊，翻譯英、法為中心等先進的殖民地統治諸國的文獻，再根據這些資料，想出統治政策。我一度很想把這些文獻列出來研究，卻一直沒有時間動手。

他先進行的是土地調查事業。在那之前，土地的所有權並不清楚，也沒有列等級，因此要先確定地籍和土地的戶籍。

內村：就像「太閣檢地」〔譯註：1583年豐臣秀吉就任「太

閣」官位時，開始進行全國檢地即農地測量，以決定農民的田地每筆的段別、品位、石高（產量），而有此稱呼〕。

戴：對。採取更為近代的形式，再根據資料掠奪土地。站在日本這一邊講就是地租改正。結果，在進行此調查的明治31、32年，地租收入就增加了三、四倍。

因為台灣是殖民地，才能夠用強權展開土地調查事業。在日本，因為有入會權〔譯註：對一定的山野或漁場，住在特定地區的人民有平等利用、獲取收益的權利〕，無法這麼做。

這個調查一方面確認土地所有權，保護地主，一方面則殺害不聽話的地主，沒收其土地，納為國有。但其實也同時在消滅游擊隊。游擊隊都窩藏在竹林裡或逃到甘蔗園中，所以初期時把甘蔗都燒掉，後來才把新渡戶叫來，重新栽種甘蔗，快速增加蔗糖的生產量。之後販賣鴉片，也提高了收入。

他就是藉著這個方式穩定台灣的財政，從「國庫」獨立。一般的日本研究者並不這麼看。他們總是說，他是展開優越的施政，進行投資，財政很快就獨立了，所以後藤新平實在很偉大。這種看法很表面，缺乏分析。後藤既不是孫悟空，也不是猿飛佐助，這種神話大可不必了。

清朝就是做不到這些事，後藤新平才能夠引進歐洲的近代殖民地政策。

連鎖的革命運動

內村：戴先生代表台灣發言，我也想代表滿洲發言看看。滿洲沒有甘蔗，但是有高粱。後藤設立了許多學術機關，例如大連的中央試驗場、南滿洲工業專門學校、旅順工科學堂等，為基盤做整備，位於稍偏長春南部的公主嶺農業試驗場，也是其中之一。該處有一件工作是改良高粱的品種，滿鐵特別種植了低矮的高粱。

後藤上任滿鐵總裁時，要求「讓我當敕任官或奏任官」〔譯註：日本從明治時代到第二次世界大戰戰敗之前的官吏等級，分成敕任官、奏任官、判任官，敕任官是天皇敕令派任的〕、「讓我當關東軍的顧問」。如果能真的通過，軍部的勢力就不會延伸到那程度，可是後藤當時的預測並沒有受到認同。結果軍部蠻橫跋扈，堅持不讓他們在南滿鐵路兩邊種植高粱，因為那樣會讓匪徒有遮蔽之處。

戴：和甘蔗一樣。

内村：不過我前陣子去中國時吃了一驚，沿線都種滿了，真的很不錯。現在鐵路沿線連防風林都有，讓人非常感慨……。

戴：與生產結合在一起。

内村：對，這是後藤想都想不到的事，因為雖然擁有東支鐵路的俄羅斯和擁有南滿鐵路的日本意見分歧，他卻滿腦子都想著要把鐵路連起來通到歐洲。

後來他以滿鐵總裁的身分介入了解，發覺敵人已經不是俄羅斯，而是中國時，首先採取的對策是「文裝的武備」。也就是說，與清朝打戰沒有用，非得用「文」的不可。提高民間的教育水準，普及衛生等設施，同時讓當地人覺得「比起清朝官吏，滿鐵的人對他們更有好處」，滿鐵就能夠因此安穩立足。這就是

「武備」。

剛才提到，後藤等人在台灣做了清朝官吏沒做好的事，正因為有台灣時期的成績，他才能夠在滿洲提倡「文裝的武備」。

戴：沒錯。剛才我也提到，我們台灣民間的地主、資產階級被後藤摸得很透徹，而他對清朝官僚的看法也很有意思。

後藤在道德上對「土匪」做了非常惡劣的事。他吩咐說：「我們要開宴會，請有意洗心革面的土匪集合。」等一群人聚集起來，就當場射殺他們。這在鶴見祐輔的《後藤新平》中也有記載。那群人雖說是「土匪」，其實是游擊隊，儘管不會立即反抗，但是有其潛力，所以要先發制人，加以誘殺。被後藤排擠、只能吃冷飯的同仁，就打小報告到本國的議會說：「後藤在幹不人道的事。」

對該批評，後藤的反應是：「清朝時的台灣官僚是藉著縱容土匪賺錢。」當時以後藤新平為首的日本官界，對清朝在台灣施行近代化政策的劉銘傳有非常高的評價。其實最早在台灣鋪設鐵路，進行土地調查的不是日本人，而是劉銘傳。清朝的鞭子打不到台灣，而且當時的台灣生產非常大量的稻米和糖。官員為了從中謀利，沒有認真鎮壓「土匪」。他們會私下交易，有土匪作亂時，只要說些藉口，收益就可以不用上繳國庫。這是為了自己的口袋而縱容土匪，後藤很清楚這樣的邏輯。之前的日本並不了解這方面，後藤在演講中說出一切。他真的很厲害，遠比現在的研究者還行。

清朝官吏所說的「土匪作亂」有作假之嫌。後藤說，我們和他們無關，因為是異族所以才要下手。而且，後藤不把收益放入私囊。

內村：在滿洲，像孫文一黨人是為了打倒盜賊、張作霖或馬占山政權等中國軍閥——其實孫文等人亦被視為其中一個支流——而展開革命運動，可是在非常早的時期就開始與他們討價還價，這是很可悲的，也因此整個中國一直無法自立。

毛澤東從井岡山起步時，說了很多「從農村包圍都市」等口號，實際上都非常簡單。他應該想過，在混亂的中國，即使自行武裝，擁有一支軍閥的實力也成不了什麼事。因此從宏觀的角度來看，毛澤東政權也是一個土匪或軍閥，不同的地方在於他沒有中飽私囊。如果中國早點做到這一點，會更快達成統一。

戴：不過，在井岡山的階段，毛澤東也曾利用當地的軍閥、土匪，也就是貧困階層集團，然後於中途進行整編的過程。

內村：是的，所以也是以土匪的形式出發，利用土匪……。

戴：重新組織。

內村：對。憑著這股強烈的意志力統一中國。

戴：從這方面來說，後藤新平的個性和毛澤東有點相似，儘管沒有那麼大的權力。「不做調查的人沒有發言權」，後藤一直這麼說。毛澤東也說過：「不要被書讀，也不可以讀太多書。」後藤新平也說過：「無聊、殘障的東大生做的學問是不行的。做學問就要和實踐結合。」

內村：我要順便說，像廈門事件，雖然手法很粗糙，想要藉著在廈門的本願寺縱火，而讓孫文把慶州的軍隊帶到那裡，卻被伊藤博文識破而失敗。後來伊藤就瞧不起孫文，說：「那夥人算什麼，不過是書生。」後藤就反駁他：「你不久之前不也是一介書生？」

戴：是的。

内村：後藤在這方面不知該說是轉變很快，還是已經盯住目標了。在這個過程中，從做得到的地方去做。如果有人阻擋、影響到他，就把那些人一一收拾掉，事後再把大義名分加上去就好了。

戴：這完全是關東軍的手法，我對廈門事件的看法是這樣的。總之，後藤和兒玉認為，既然拿下了台灣，就應該取得福建，採取南進政策。他們在台灣志得意滿，判斷有勝算。要穩定台灣的治安，就不能不取得廈門，因為游擊隊會往來兩地。何況拿下福建以後，就可以做為突破點，進入中國內部。

中央起先的意向是可行，但實際上這麼做會與英國槓上，與大英帝國對打是沒有勝算的，可是朝鮮和滿洲等帝政俄羅斯的邊境地帶比較柔弱，於是決定往那邊一決勝負。中央就這樣改變方針，從南進變為北進，讓兒玉和後藤驚慌失措。依我的理解，事情是這樣的。

内村：後藤應該是看出俄羅斯有絕不讓出滿洲的固執，因此為了把南滿鐵路和東支鐵路連起來通到歐洲，非得與俄羅斯合作不可。這麼一來，要把美國當對手是不成問題的，而與英國也可以和平相處。

戴：這麼說有點穿鑿附會。後藤在當時並無意與美國對抗。美國曾在日俄戰爭中伸出援手，在日本統治台灣後，美國也跟著統治菲律賓，那是一種默契。美國抱持的想法是「日本得到台灣就好了，菲律賓是我們的目標」，而且存在夏威夷問題。在那段時期，日本和美國的關係非常友好。兩者都是太平洋國家，正要開始擴張，因此有共通的利益。

在日本、中國、蘇聯這條線上如何對抗歐洲與美國，是後藤結束滿鐵總裁的職務以後，身為外務大臣，具體展開對蘇外交時才有的想法。廈門事件發生時，他還沒有這種構想。我推測從當時的情況看來，他也不可能有這種想法。這是我的推理。

內村：可是，他在當東京市長的時期，曾經想要為日本與蘇聯緊張的外交關係尋找突破點。

戴：要到那個階段，他才具體產生與美國對抗的想法。

內村：原來如此。

戴：當時，他一方面學習美國的大都市政策，一方面透過女婿鶴見祐輔或鶴見師事的比爾德博士（C. A. Beard）〔譯註：1874～1948，美國歷史學家〕，對美國的實力相當了解。他參考統治台灣、擔任滿鐵總裁的經驗，檢討日本身為太平洋國家應該選擇的外交政策時，與美國對抗才具體成為他的主題。

內村：如果是這樣，就顯出後藤的局限了。他當時確實有先見之明，在日、蘇政府之間的交涉陷入僵局時，他雖然是東京市長，沒有直接關係，卻將在北京眼觀六路的蘇聯外交官越飛（Adolph Joffe）請來，想要藉著與他談話找到外交突破點。

而他在這時候認為日、蘇之間應能融洽相處，才設立我們的〔譯註：內村出身該學院〕哈爾濱學院。哈爾濱是東支鐵路的起點，也是蘇聯從帝政俄羅斯接收的財產。那裡的長官是中央政府任命的，所以他們的勢力很大。在俄羅斯的據點哈爾濱的正中央設立日本人學校是相當大的冒險，後藤卻說做就做了。

他起初是想在Vladivostok設立日本人學校，但是在Vladivostok行動不便。所以我們學校的10期生或12期生都受到後藤的影響，前往蘇聯各地旅行。那時代還很自由。

戴：Vladivostok就是中國所說的「海參威」吧。

內村：是的。

戴：所以您非常熟悉。

內村：到這時期還好。可是後來史達林採取鎖國政策，國境完全不能通行。後藤恐怕想都沒想到，日、蘇關係會變得像現在這樣格格不入。與中國的關係也是一樣。

戴：確實是這樣。有一段奇怪的軼事。佐野學〔譯註：1892～1953，日本社會主義運動者，在昭和初期擔任非法的日本共產黨委員長〕的哥哥是佐野醫院的院長，他和後藤有交情，據說讓佐野學偷偷逃跑的人，就是當時擔任內務大臣的後藤新平。還有一點，他和大杉榮等人也有關係。是不是因為他是這樣的人，才會「窮鳥入懷」呢？還是能夠以更大視野思考？

他於昭和4年逝世，他在邀請越飛談話時，對社會主義或共產主義有多少了解？這一點我不僅很有興趣，也覺得很疑惑。他到底從佐野那些人得到多少社會主義的知識？廈門事件發生後，伊藤說：「那夥人不過是書生」，後藤反駁說：「你之前不也是？」如果此事為真，他一定把孫文看成前途有望的人。當時是三民主義的時代，與武漢以降的國共合作、黃埔軍校的時代不一樣，但我想後藤看到了那支在野黨的潛力，儘管廈門事件因南進、北進政策的問題他失敗了。不過他並沒有預見由原本在野的布爾什維克當權後的蘇聯，會與日本建立什麼樣的關係。

這就是近代日本大政治家的局限。伊藤和袁世凱的談判也好，後藤和西太后的談判也罷，可是他們都是老派的人。明治維新的人並不了解肩負全新文明出現的一代。他們雖可以理解富國強兵，其他的似乎就不懂了。

戴：關於廈門事件，我不知道是否可以這麼說，但我認為日本軍國主義的一面與孫文革命有關聯之處。可是，現在的日本基於原罪意識，極力想要抹殺日本軍國主義，而過度評價與孫文革命的關係。

後藤曾在孫文來台灣時，把他「軟禁」在總督御用的餐館「梅屋敷」裡。那個地方就是現在的「國父史蹟紀念館」。為什麼要軟禁？為了不讓台灣內部許多孫文主義者與孫文見面。後藤不讓孫文和我祖父那一代的反日派見面，打算在那裡與他討價還價。我對這方面的評價與內村先生不太一樣。

後藤與兒玉並肩合作時，有透過台灣進入廈門、福建，再從該地進逼中國的構想，因此打算把孫文當成棋子加以利用。

孫文雖然心知肚明，但考慮到當下的革命，不論玄洋社、黑龍會、頭山滿等日本的「支那浪人」說得多麼好聽，實際的支援不多。他或許反而認為，如果可以運用後藤，就近從大陸對岸的台灣輸送武器，確實又快速又方便。

內村：畢竟他只有600名手下。

戴：後藤是「投機分子」，孫文也是有「孫大砲」綽號的投機分子，兩人都有「投機」的成分。不過職業革命家必須是投機者才做得下去。而且這兩人都是醫生，說起話來會不會特別相投？互相都想利用對方。我想廈門事件可能就是兩人見面時談出來的吧！

內村：的確。太露骨了。

戴：是啊（笑）。當然沒有跡象顯示後藤新平把一切希望都投注在孫文身上。

內村：好像不會有。

戴：可是到目前為止都不是這樣看，而是極端傾向某一邊。

原型的構圖

內村：這方面的話題是談不完的，不過最後我想談談職業革命家如何利用不正派的人。剛才說到毛澤東井岡山的問題時，戴先生曾稍微提到。以日本來說，像西鄉隆盛在京都時代是個謀略家，懂得利用極不正派的人。可是勝海舟和西鄉交涉時，似乎也曾考慮過，要在緊急時刻派新門辰五郎等人在江戶放火。反社會人士、社會病理集團與革命運動的關聯，一直是大家視若無睹之類的問題。

我們看俄羅斯革命的歷史，初期有中國人以懲罰隊的身分活躍。而最初的格別烏〔譯註：原蘇聯國家政治保安部〕首腦捷爾任斯基（Feliks E. Dzerzhinskiy）是羅莎・盧森堡（Rosa Luxemburg）〔譯註：1871～1919，波蘭出身但活躍於德國的革命家〕的朋友，雖然是波蘭人，同屬於被壓迫民族，這個心地善良的革命家卻走進被壓迫民族中，遂行殺戮。

蘇聯採用的懲罰隊員大致上都是波羅的海三國邊境的人。列寧那群人雖然手不沾血腥，卻很明顯地在這裡使用很多素行不良的人。所以您剛剛說的，不斷用船將一些大言不慚的浪人載回去日本，雖然是後藤此一近代官僚的優點，但是他也有利用這些人的想法。

戴：他應該使用過。

內村：有用過嗎？就這一點來說，把後藤的可疑部分和孫文的可疑部分連起來想，就容易了解了。

戴：我贊成。從醫生轉向政治是兩人的共通性。而後藤新平有「吹牛大王」的綽號，孫文則是「孫大砲」，都是很會說大話，是一種浪漫主義者。而且，兩人都是相當務實的人，所以會互相算計。在誰比較能巧妙利用誰的情況下，在勝負較小的「暗算」戰場上後藤新平與孫文相遇，這一點我想是與孫文與頭山滿或內田良平相遇的性質不同。

內村：他們兩人更為相投吧。

戴：對。

內村： 醫生的教養強調探尋事實，一切都要符合邏輯。可是自己在描繪願景、改變世界時，一定曾在探尋事實時發現不合宜之處，但他們不能因此捨棄願景。雖然繼續說大話，但是缺乏根據，才會變成「吹牛大王」和「孫大砲」。他們在這方面一致。

戴：所以才會有梅屋敷這個舞台。我一直在想，遲早要把後藤新平和孫文的相遇寫成論文，包括廈門事件在內。請再讓我補充一點。到目前為止，日本的近代政治史研究，一直停留在日本的四個島。最近朝鮮人研究者增加，終於開始注意日韓關係。不過，還沒有人研究台灣。

後藤新平這個人物的軌跡可以如此描畫：他去過台灣、滿鐵，又回到中央政界擔任外務大臣，推動對蘇聯的外交；對蘇外交的部分雖然是極短的時間，就某方面來說也用上了他投機者的那一面。他本身雖然沒有直接涉及朝鮮的統治，但是在客觀上，台灣的殖民統治成為朝鮮統治的原型。他也藉著滿鐵奠定了「滿洲國」的基礎，而又把在台灣、滿洲的經驗及在該地培養的智囊帶回中央政界。

如此掌握整個東亞的關聯，就可以整理出稍微像樣的日本的近代政治史的樣貌。希望學界也能夠去思考這個面向。我認為要選擇研究題材的話，後藤新平是一個很有意思的人物吧！

内村：我最近看了戴先生的亞洲經濟研究所同事寫的《殖民地滿洲的都市計畫》〔《植民地満州の都市計画》〕，覺得這本書就是您提到的研究的先驅。後藤新平在前往台灣之前，曾經擬了《台灣統治救急案》。

後來，他去滿洲時也訂立都市計畫，但大抵是套用台灣的經驗。他卻把部屬交出的草案全部丟回去，咆哮大罵，叫他們重寫。原來那些部屬思考時是以小小的東京做為範本。

可是，當時他腦海裡想的是哈爾濱。如同他在台灣這張白紙上做實驗，哈爾濱是蘇聯以國家多年的預算、在草原當中投資興建的城市。那也是在白紙上做的大實驗。後藤簡直對那座城市垂涎三尺。

後來這個經驗還是用上了。他回到東京，成為東京市長。在研擬那份「帝都復興計畫」時，他以前的部屬都參與了。

很有趣的是，滿洲國一建立，那些人又返回滿洲，集台灣、哈爾濱、東京的要素打造長春。這個城市也是從一張白紙開始，在平坦的平原上匯集日本的近代城市計畫建造的。

結果呢？我們把這樣的城市全部送給了中國，蘇聯也送了。正如開始時說的，從喪失一切到現在，已經過了35年。不過這只是國家之間的歷史，民族仍然存在著。所以日本人建造的東西並沒有白白浪費掉，都有人承繼。

雖然是在不得已的情況下，但無論如何，我們是把長春當禮物送了出去。

戴：台灣也是。

內村：台灣也是禮物。雖然很心疼，但還是盡可能假裝瀟灑（笑）。蘇聯也把哈爾濱送給了中國。就算不以贖罪的心情去想，禮物終歸還是禮物。從這個角度來看，後藤新平的軌跡橫跨整個東亞，顯現出廣大而基本的文明論。

編輯部：謝謝二位。

本文原刊於《歷史読本》第25卷第14號，東京：新人物往来社，1980年11月，頁256～273。爲「連載対談／明治の獅子たち10・後藤新平」專欄內文章

何謂近代國家、國籍、民族、國民、公民

——中國國籍法制定的意義與背景座談會

◎ 蔣智揚譯

時間：1981年8月18日

地點：國際文化會館研討室

與會：澤木敬郎（立教大學教授）

田中宏（愛知縣立大學教授）

戴國煇（立教大學教授）

戴國煇（以下簡稱戴）：去年〔1980〕9月10日，中華人民共和國第五屆全國人民代表大會第三次會議中，制定了中華人民共和國成立30年以來首次的「國籍法」。該法律共18條，有關個別條文請容稍後再談。首先想請國際私法的專家、而且對國籍法也造詣高深的澤木先生，從一般性問題來談中國建國三十餘年以來，初次公布國籍法之意義。

與近代國家形成相結合的國籍

澤木敬郎（以下簡稱澤木）：現在我們對國籍這個名詞都已經很熟悉。國籍之概念是與近代國家結合而成立的。伊斯蘭世界的各國，有的國家是在1960年才獨立，這些國家雖有伊斯蘭教徒及異教徒之區別，但在此之前並無國籍之觀念。現在當然大家都會考慮到埃及的國籍或伊朗的國籍，其實在數十年前，是沒有國籍這個概念的。

在這種意義下，國籍是伴隨近代國家的形成而產生，換句話說，是國際社會被區分為近代國家的政治集團後才產生的。

尤其在因為革命而產生新政權的情形下，必須決定他們自己政治集團的範圍，故以獨立宣言或以憲法第一條等，宣告本國國民是在此範圍的人。殖民地獨立的時候通常是如此的。

若從這件事看中國，建國後30年間一直都沒有國籍法，這表示中國這個國家是歷史悠久的。中國有個傳統，能讓他們在那次革命的時候，不必以獨立宣言或憲法說出中華人民共和國人民所在的範圍。

因為在中國的土地上，中華民國的一切法律都已被廢止，中華民國曾有的國籍法在此也被廢止。但屬於稱為中華人民共和國的政治集團的人民當然已被預定，不需要特別制定任何法律。而且全人代的代表資格之中，在外華僑的議席也有所規定。如此一來，並非只有在中國本土的人才被認為是中華人民共和國的成員。在傳統中國思想中所謂中國的國民，預定含有在外的華僑，因此不需要重新制定國籍概念，在這種意義下，30年間不曾加以理會也沒有關係。

中國以前是否沒有本國國民與外國人的區別？以日本法院的判例來確認，昭和28年北京政府剛成立不久時，中國曾發出外僑證明書。亦即，對於戰後以技師等資格居留在中國的日本人，中國發出視為外國人的登記證明書。雖然沒有國籍法，但中國國民與外國人確有區分，我想這在某範圍內都無矛盾且一直做得很好。

那麼如今為何又有了中國的國籍法？我認為中國與印尼等東南亞各國之間，存在著海外華僑的國籍問題，尤其是雙重國籍問題，中國至今為了解決此現實的問題一直在努力，因為大體上已得到成果，故以此當作要點而將國籍法明文化。

戴：除了剛才您所指出是因傳統、國家的悠久，加上新的國際關係而制定了國籍法外，我想還有另一個可能。那就是對於以革命廢止中華民國歷史的新革命政治集團而言，要如何界定其國民的範疇的問題。能否認為，國籍法未被制定是因為關聯到社會主義理念和共產主義的展望，也可以說因為涉及國家應有的形式，或終究會消失且該被揚棄的國家的關聯，以致國籍法遲遲未被制定。如果允許這種想法，那麼從這個角度有何高見，可談談嗎？

澤木：不，我認為不會由於是社會主義政權而導致其國籍法的內容有特別之處。如果有的話，在社會主義之下廢止歧視應該是基本政策，所以站在市民權的立場，對於永住的外國人而言，雖然國籍不同，但在市民權上做更加一層的保護，以這種想法可充分考慮國籍及市民權二者並立來進行。但這次的中國國籍法並未特別看出這樣的考慮，不能認為因為是社會主義體制所以國籍法的制定被拖延了30年。

戴：我會做那樣的質詢，是因為下述理由。關於中國做為一個社會主義體制國家，領導階層要如何想像中華人民共和國的形象，或已經有了想像。包含在此國家內的國民範疇問題，應該可以設想吧。既然其國家觀為革命，與中華民國——尤其辛亥革命期的國民黨系的領導們所考慮的國家觀當然不同。如果我的設想正確的話，基於此新的國家觀，國籍法應一直在被斟酌吧。

還有一點，中國的社會主義實際上在法制化之前，一向為政治優先主義。也由於這樣，國籍法才初次以這種形式出現，不過在被制定之前的1979年10月，北京已出版了國籍問題的專門書籍（李浩培著，《國籍問題的比較研究》）。當我一看到這書時，馬上認為中國不久就會制定國籍法，事實上早已在做研究。由於關聯到中國的四個現代化、法制化的問題，若有中國社會主義體制所具有的獨特性，則這次國籍法的制定，就此具體化之事會在國籍法的制定程序上反映出，在條文上也會有所反映吧。我是做了這樣的設想而提出問題。

澤木：中國是含有少數民族的多民族國家，憲法也有宣言。問題在國民的範圍。世界各國的國籍法大致可分為出生地主義及血統主義。血統主義是以血緣關係決定國民的範圍，日本和中國基本上都是血統主義；美國是出生地主義，認為在美國出生的人就成為美國人。

此血統主義的國籍法，其背後的想法是個人為家族的一員，集合此家族即成村鎮，集合村鎮即成國家，在國家的基礎有家族。因此有血緣的人集合起來就是國家，國民的範圍即為血統主義。

相對地，美國是由移民成立的國家，住在該地區的人就是構成國家的成員，以這種想法則是出生地主義。

由此觀看中國國籍法，雖然秉持血統主義的原則，但一結婚就得重新取得國籍，這就失去所謂家族國籍同一主義。這究竟有什麼具體的意義……。

戴：是否具有社會主義的意義？

澤木：是把國家和家族的關係以不同的型式觀看吧，但資本主義國家也採用國籍自由的原則，採用同樣法制的國家也在增加，除此之外我就不清楚了。

田中宏（以下簡稱田中）：我不清楚社會主義體制對國籍法的制定扮演何種角色，但知道社會主義的國籍法大概是父母兩系吧。中華民國的國籍法是父系優先，而這次的中華人民共和國的國籍法卻是父母兩系。韓國則是先制定的大韓民國國籍法為父系優先，而朝鮮民主主義人民共和國的國籍法，則為父母兩系。因此感覺是摻雜著社會主義的成分。

回顧歷史上雙重國籍之發生

戴：中國最初有國籍法是在清朝末年。其後，經過辛亥革命而產生中華民國國籍法。之後被台灣的「國民黨政權」繼承，持續血統主義。

觀看清末國籍法制定（1909年，宣統元年）的背景，與近代國家在成立的過程中，確定自己的領土及成員有顯著的差別。華僑問題從一開始就是個契機。現在稱為印尼的國家，曾是荷蘭統治下的荷屬東印度，當時荷蘭基於歸化條例（1907年）及出生地法，主張所有在荷屬東印度出生的華僑子弟都是荷蘭國民，接著在1908年的外交交涉上，主張滿清並沒有規定華僑從屬義務的國籍法。因此滿清慌忙地為了對抗荷蘭，趕緊訂定1909年最早的國籍法。雖然也有其他的理由，但就此產生清末的國籍法。在此縱向演變中，應該如何思考這次的國籍法，乃是一個問題。

田中先生以前研究過關於印尼華僑雙重國籍問題的中印協定，其背景為雙重國籍曾具體地發生在印尼華僑身上的歷史。若追溯此問題，其實會碰上清末血統主義國籍法與荷蘭出生地主義國籍法的對立。與此縱向變化相關乃至現在產生的國籍法，其問題為何，能否請你作說明。

田中：在我調查剛才所提出問題的當時，我的感覺是與周恩來的演說有關。1905年，荷蘭政府制定了與荷蘭殖民地居民有關的法令，依此來決定荷蘭殖民地居民的身分狀況，這個碰上從中國遷移過去的人乃至其子孫的國籍，便產生了雙重國籍的問題。這是殖民地統治所留下的遺產，獨立後的印尼及中華人民共和國應該如何處理？這個問題應該將其認為是歷史留給我們的遺產，秉持這樣的歷史認識來解決。我記得很清楚，周恩來是這樣指出的。

以上是說，要把印尼的雙重國籍問題作歷史定位，以設法處理中國與印尼之間的國籍問題。至於此雙重國籍要怎麼辦，正如明確地出現在這次的國籍法上，是要尊重個人的意思。因為每個人的生活條件或想法不同，不採取以政府或政府間的商定來單方面強迫的方法，而是委由每個人解決的方式來達成同意。形成這樣的架構，我認為是非常重要的觀點。

戴：那麼所謂國籍法，以國際關係而言，東南亞的殖民地獨立而恢復國家主權的過程中，在殖民地時代常有很多中國勞動者移入，這些人不久就成為華僑，而形成華僑社會。在居住地更有不知道中國的子弟，亦即在當地出生的人逐漸增加。不久他們的法律地位就發生問題。關於此問題，所謂國籍法具有何種意義呢？

澤木：把話題稍微拉回到前面，當近代國家成立的時候，也正是新中國要否定的霸權主義，是有增強其國力的想法。對此國力的增強，人口數目也是重要的因素。尤其一旦發生戰爭，非有軍隊不可，總要確保男子當作本國國民，因此世界各國考慮可增加本國國民的國籍法。

這麼一來，像日本或中國的國家，是本國國民往外遷出型的國家，這樣的國家容易採取血統主義。於是即使往國外遷出，若在血統上把他們當作是本國國民，就可增加本國國民的人口。

然而像美國，乃是人口遷入的國家，若採用血統主義，則無法增加本國國民，於是產生出生地主義，認為在此出生的人就是本國國民。血統主義和出生地主義，其背後有這樣的政治因素。

中國若採用血統主義，對移民所進入的國家而言，該移民就成為永遠的外國人，於是產生確保本國民族認同的問題。有相當多人口的華僑，第三代或四代都住在該地，若還一直稱他們為外國人是不自然的。因而接受移民的國家總是希望早日將其同化，或希望其接納國家認同，其結果就引起雙重國籍的問題。

最初雙方互不相讓，對採血統主義的國家而言，說是本國的國民而不肯放手，一旦發生戰爭就呼籲加入自己的軍隊。出生地主義那方面則說，第三代或四代都住在這裡，已經和祖國沒有關係。

但隨著國際關係的改善，認為彼此僅顧到本國的權益而製造雙重國籍者，不如不這樣比較好。因此約在1930年制訂了屬於國際條約的雙重國籍防止條約。但是有很多國家深怕被其綁住而沒有批准、實施。對此，有關這次國籍法的制定，中國與東南亞各國所做種種交涉，可說是對霸權主義的否定吧，以國籍法為媒介，個人要屬於那個團體而生活在國際社會中，為解決這個問題，不單只是考慮一國的利益而已，而可解讀為他們努力表現所做的最後總結。

戴：出生地主義與血統主義之間所引起的雙重國籍問題，我想就是像剛才所說的。以日本的國籍法及以前的民國時代的國籍法而言，因為同樣是血統主義，所以在日本的華僑不會發生雙重國籍問題。以我身為當地生活者的立場來看，我覺得日本當局也慢慢在改變有關國籍法的想法。雖然沒有大幅度修改血統主義的預兆，但也不堅持不准許外國人定居者取得日本的國籍，好像有逐漸放寬的趨勢。

澤木：可不可作這樣的評估另當別論。日本這種國家的一個特殊性就是領土狹小，說到人口密度也是全世界最高的。如此一來，就關係到如批准難民條約這樣的問題。對日本這個國家而言，即使他們願意付錢，也很難接受大批難民。非常籠統地說，可能存在這種感覺的政治判斷。但是長年定居的外國人是居住在日本的一員，因而就此意義並不應該產生關於歸化的問題。但新的接納非常困難，因此出入境管理也非常嚴格。以與此搭配的形式，對於歸化的必要條件過去也比較嚴格。關於這點，如您所指出，我想可說的確慢慢在改變、放寬，但另一方面也許受到如日本的純血統主義等的影響。

田中：日本這個社會對於與異分子或異民族在國內對等共存之事，具有非常不安的社會本質。

因此在澤木先生所說的領土狹小、情形嚴重之事上，如果要再加上一項，就是連定居在日本的外國人若不使用日本名則居住上便有困難，所呈現的，與其他民族一同生活總覺得不安，若完全同化於日本，不留下任何痕跡還好，否則就會有不自在的感覺。

不過，雖然一方面有這樣的想法，但在受理金錢、物、人三項的往來時，日本至少對於金錢和物兩件事上非常積極。至於是否在人的方面可以一直加以限制，日本正被質疑中，對於接受中南半島難民或批准難民條約，也已經不得不採取具體的措施。

即使接受中南半島難民，人數的問題雖然有種種議論，受理後又將如何，未必受到十分關懷或提出方針。但是，我最近感到新的狀況，日本在國際社會中無法僅靠金錢或物質的交流來解決。這種視野將對在日居住外國人的地位、待遇相關的政策上，帶來微妙的變化。

血統主義摻雜出生地主義的背景

戴：我對最近這種動態有以下的理解：一個是從石油恐慌產生的能源危機問題，另一個是中南半島難民帶給我們的衝擊。因此我們已經不能以一國為限來考慮事情，而不得不以全球性的宏觀來考慮資源及人類的動態。

在此問題之中，實際上對文明而言，要如何考慮歸化一詞及同化的問題。如剛才澤木先生所說，近代國家成立以前應該是沒有國籍法，雖然並沒有表面化，但暗地裡統治者應該會向異族群要求臣服關係，或許實際上已經採取了行動。其中，站在價值上位的群體或政治團體以其較高的文化要求文化較低的一方歸化——這是中國人所使用的字詞，漢字的語感非常不好——歸化含有被打敗、屈服，甚至埋沒之意。同化看起來也具有同樣的語感，但是現在出現了新的狀況，例如中南半島難民逃到馬來西亞海岸，將所乘的船鑿洞，使船沉沒，原來被視為有如偷渡的行為，一下變成人道問題。對於此事，如果馬來西亞使用國家權力加以鎮壓，就會遭受全球的指責吧。涉及國際關係的現代史狀況有了很大的改變，這麼一來，中國的國籍法也考慮到這種出入境的形式嗎？

田中：中國的國籍法，其構想應曾考量過居住在海外者，能以居住國的一員過生活吧。提出此國籍法的宗旨，係為妥善結合血統主義及出生地主義以做為立法的宗旨。不拘傳統上曾為血統主義的國家，大膽採取出生地主義，在此感覺上，至少對海外人士相當勇敢地斷言，以往的血統主義不值得期待。

對於從海外進來的人，首先就是出入境管理的問題吧。

戴：目前進入中國還沒有多大問題，即使有問題也是「華僑」由於年老而想要歸國居住。對於這些人，條文上保留了國籍恢復之路。

與此相關，這樣的構想或許可能。過去的中國是非常封閉的，一直都是處於封鎖的狀況，但後來開放了。此時有條件遷出的人，或是與國外有關聯的人，住在那裡不就好了嗎？此構想可考慮到二件事。其一為中國內部經濟的困難或人口的壓力，本來社會主義國家是不允許有這種說法，但做為現實的問題，其壓力非常大。因為在條文上將出生地主義加在血統主義上，其彈性運作的意圖，相當容易解讀。因此雖然沒有明確說出，由於人口壓力允許遷往國外定居，這是一種考慮。

另一種考慮與剛才澤木先生所指出的，與華僑問題有關聯，就是有些人第四代、五代長期在該地出生長大，他們沒有或無法回中國，或回國受到阻礙，這些人過去被傳統的中華民國血統法過度束縛。中國人的意識中重視血緣之一面，「華僑」相當堅持地繼承。「華僑」本身也毫無辦法，也有要解除此困境的一面。

做為現實上的國家政策，解決此問題在外交關係上也有正面的意義，否則東南亞各國就會有困難。華僑後裔若是重視血緣，會完全成為異分子，但從長期定居的生活者方面看來，在生活感覺及生活律動等相當多的層面上，可說已達定位為各國的成員階段。各國的新領導階層都有此種期待。既然是這樣情況下，若不大幅修改中國的血統主義，並添加出生地主義來妥善運作，則不但與「華僑」人口眾多的東南亞各國的外交關係會不利、被誤解，或被政客利用等造成「華僑」的困擾，甚至可能傷害到國家關係。

因此我想要直接談及各條文的問題，第十六條提到有關中國國籍的加入、退出及恢復，這是有關國籍取得與喪失的規定。關於其恢復，第十三條也有涉及，但我們擔心東南亞那邊對我們一直所討論的情事是否會有誤解。因為以當時的方便取得居住國的國籍，過了一段時間若再回到中國，又可取得中國國籍，這樣不會引起誤解嗎？

澤木：沒有這回事吧。世界各國的國籍法都有恢復國籍的制度。外國人取得某一國家的國籍時，歸化是普通的手段，但只因為其條件嚴格，對於原來為本國的國民以恢復的方法將其簡化而已。

戴：如此一來，若從議會民主主義成熟的國家法律意識來判斷，就不應該會有我剛才對第十三條所提出的疑惑。

澤木：我想不會有的。

戴：但現在的東南亞各國並非處於這種狀況，反而對「華僑」產生誤解，甚至曲解，或累積殖民地制度下離間計的痕跡而產生憎恨之事。所以有關第十三條若不好好地加以說明，則非常有可能會被右派或極端國家主義者利用，做為別有用心的議論。

澤木：若擔心此事，則在第七條的加入規定，一開始就寫明中國人的近親，所以近親者若有中國人，任何時間都可加入中國國籍。這麼一來，有人也會說這不也是依血緣而吸收人員的條文嗎？若有人以這種法律的解讀加以反駁，就很難說服了。

戴：美國的國籍法，移民之後取得其國籍者，就可教親屬來依親？

澤木：是的，可以來依親。

戴：這種事情可以說是世界現在的常識，但若不請東南亞各國的輿論界領袖以及政權負責人明確了解，又若僅單獨解讀該條文，確實會發生問題吧。

此國籍法全文有18條，此條文是新的見解或保留舊有的，首先想請澤木先生就這個問題提出看法。

澤木：首先必須指出的是第四條。這次的國籍法基本上明顯採取血統主義，在此應受注目之點為父母雙方或一方是中國的公民，若本人在中國出生，則具有中國的國籍，在此可說採用了兩性平等的原則。

其次，國籍不因身分關係的變動而改變。日本和中國對傳統的家族制度都非常執著。日本人講出嫁，中國也有類似的制度，都以男子為中心來更動身分。在此第四條很明確地讓兩性平等，而且因為對於結婚或離婚、或養子在國籍上都沒有影響，所以我想這是第二重要之點。

再其次的要點為，一律不承認雙重國籍之第三條的規定。本來這不在這次的國籍法制定之內，但現在以明文表現出來。而且只否認雙重國籍也沒有用，因此為了與關係國做具體的處理，添加了出生地主義。譬如雙親中有一方為中國人，即使他們在外國所生的孩子，在某些情形下有意不持中國國籍，寧可期待取得外國籍，不知是否可以這麼說。不過第五條的但書可說是很大的特徵，說明如果持外國的國籍，就不得具有中國國籍。

田中：日本的國籍法也有記載，在出生地主義國出生者若不做保留，就沒有日本國籍。實際上，父親為日本人而在美國出生的小孩，幾乎具有美國和日本雙方之國籍。

戴：這是潛在的吧。

田中：不，是通常的日本國籍。

澤木：是因為美國原則上為出生地主義吧。

戴：那是原本就如此，但日本也是不承認雙重國籍吧。

田中：從開始就這樣。在日本的情形，具體說來，若父親是日本人，只要向出生地的日本駐外使領館提出出生證明，則日本國籍確定而成為雙重國籍。但這次的中國國籍法規定不可這樣，在美國出生的人就可以取得美國國籍，因此即使雙親是中國人，若取得美國國籍就不能取得中國國籍，比日本規定更為明確。

澤木：是的，是更為徹底。

田中：有關雙重國籍的迴避，並非精神規定，而是依具體的條文加以保障。在避免國籍衝突上，也有做非常仔細的考慮吧。得不到外國國籍時就發給中國國籍，但是若取得外國籍就不發給中國國籍，可說是比日本更進步。然而在美國出生的日本人小孩通常是雙重國籍，而在琉球等地卻產生無國籍兒，這就是日本的現狀。

戴：這麼一來，此次中國的新國籍法也可說充分考慮了「華僑」的困難狀況。

澤木：是吧。

田中：如果這樣的話，如第十條的國籍退出批准制度，就是這樣。在日本的話，若要退出國籍不須批准。

澤木：只要申報吧。

戴：以此來說，第十條與日本的國籍法比較，對公民較不自由，若能以事後通知了事，就可說更為進步。

澤木：在國家與國籍之關係上，有非常困難的問題。國家需要從國民取得稅金，為了國防必須有軍隊，由於有這種政治因素，所以如第十二條的規定，國家公務員及現役軍人不得退出中國國籍，所以是否可以那樣說？譬如在日本也是外交官不得變成外國人。

田中：外交官的太太如果是外國人，一年之內其太太若不歸化則………。

澤木：則外交官的職位必須辭掉。因而，由於與各國的傳統或與國際上定位種種狀況的關聯，可否全面地承認退出的自由，就是有這樣的問題。

從「華僑」到「華人」的意識轉變

戴：如澤木先生剛才所說的，即使有了不承認雙重國籍的條文，如果在兩國間要如何採用的具體方法不明確的話，只能說是一種標語或只是做為指標的意義吧。最明確的例子就是中國與印尼的關係。「華僑」的祖國與自己的居住國若沒有真正的友好關係，則時常被當作撲克牌使用而遭遇難堪狀況。此問題是如何呢？

田中：這個問題不只限於印尼，在東南亞各國也是。是否為中國籍另當別論，僅因屬中國系就被當作代罪羔羊來處理，這個問題追根究柢就是血統觀念的國籍法制在作祟。不過，印尼的情形可能在法制上應該有做處理，但常發生中國系人士集體被迫害，這未必單是法制上的問題。

因此，中國與印尼的關係，從萬隆時代曾紮實地締結條約想解決的時期，到蘇卡諾體制變故，中國與印尼的關係惡化，使條約有名無實化，而形同虛設。

這樣看來，這次的國籍法不讓對方有這樣的藉口，在中國這邊，以國家的法律確實加以區別，並且催促居住在對方國家的中國系人士做某種決定。這種作法是往前邁進一步，但我不認為問題已經完全消除了。

澤木：在印尼的話，不可忽略荷蘭殖民統治的事。荷蘭把歐洲人、原住民及中國人區別為三種人的集團，可適用的法律也不同。不管居住二代或四代、荷蘭人、中國人、原住民都當作全然異質者來統治，採行這種民族差別政策結束後，到現在只有30年吧。「好了，民族歧視政策已經結束，從今開始……」，即使這樣說，世間並非可以這樣簡單地改變。人類還是只能在文化的發展中慢慢改變。

因此我想此後「華僑」們在種種狀況中還是會有苦頭吃。只是，這次的國籍法乃意味著第一步布局，是為了將來對此能做些改善。

戴：我也贊成澤木先生所指出的。無論如何，以往所採行的政策運作是很差。所謂政策經常有可能變化。雖然將法律視為絕對不變並不好，但呈現在這裡的，至少有原則存在。但別想得太美，若以為有了法律什麼都可以解決就錯了。去年11月底，在印尼中部爪哇的梭羅（Solo）所引起的暴動事件，結果暴動本身並未造成問題，但由此可看出在種種政治勢力的動向中，其暗流隱含著可以迫害「華僑」的社會風潮。我覺得它類似希特勒屠殺猶太人的前夜，或類似人類的墮落罪孽。

但若有法律，則至少可依此互相努力，而且若不實行社會教育，以謀改變國民的意識，則無法解決。雖說已取得居住國的國籍，但它不會被寫在頭上或臉上。

中國也把幾世代都住在外國的人一成不變地當作「華僑」處理，當作本國國民，這樣處理也是不正確的吧。同時，居住國的領導者也要修正想法，即不要認為中國人即使取得國籍，他們也絕對不會改變。所謂不改變的事是指例如所謂種族性（ethnicity）的概念所說明的部分相當不易改變。此中似乎包含人類的魂魄、有關文化的見解、飲食生活或信仰的問題。但所謂國籍者，是個人與國家的一種政治、法律上的紐帶吧。因而以往連人類的靈魂這樣的問題都要從屬於國籍，所以帶來了種種的悲劇。既然取得居住國的國籍，還是應該對居住國盡政治上的忠誠，並要依照當地的法律而生活。這是整理自周恩來在仰光的談話，真正在意識中是否確實能消化得了，我非常懷疑。因此對此意識的改革若不從雙方努力，還是會像這次的印尼暴動，繼續徒然發生無意義流血暴動，真的非常恐怖。感到人類因愚蠢而不能脫離人種主義以獲得自由。

澤木：去年電視上演了NHK的大型連續劇《獅子的時代》。日本在80年前就有薩摩與會津互相仇恨的事。經過80年，儘管會說某人是九州出身或東北出身，已經沒有像電視劇的時代那樣了。這是因為已經有了交流吧，當時是日本國內的「國際」交流。

田中：日本與朝鮮之間的交流也特別少。乍看好像有交流，其實僅細微如絲而已。因此可能只有一部分知識階層才握有重要資訊，而國民整體的層次則完全沒有互相理解。過一段時間，等這種層次的交流擴展後才能解決吧。

戴：住在日本尤其是亞洲裔的人，若想要取得日本國籍時，因為這是屬日本國籍法的範疇，譬如包含改變姓名的問題，想請田中先生談談高見。

分割國家與民族、文化的自我認同

田中：日本這個國家，對於接受異民族或者具有不同歷史背景的人做為日本社會的一員很膽怯，認為會帶來不安定的因素而有迴避的狀況。

這種現象就是當外國人想要取得日本國籍或申請歸化時，會被要求使用日本式的姓名。在國籍法上並沒有註明要他們這樣做，但在窗口有類似申請書的填寫指南，委婉地寫著「歸化後使用的名字是日本式姓名」。

去辦理歸化手續的人在窗口想要用目前所使用的姓名申請時，窗口的辦事員會說：「這裡有要求寫上日本式姓名，雖然我不是說結果會怎樣，若想要取得國籍，最好那樣做。」由於種種理由必須取得日本國籍的人，迫於形勢，只好接受行政人員所提出的條件。

1945年後，在統計上約有十萬人取得日本國籍，其中以朝鮮人與中國人占絕大多數，其他國家的人非常有限，大部分是亞洲人。儘管已取得日本國籍，無法以朝鮮人或中國人的身分在日本社會裡生活，我們日本人也不知道有十萬個歸化者生活在日本。

也許有人認為不知道也好。有些歸化後的朝鮮人組成「成和俱樂部」的團體，我未問過這名稱的由來，但我一想可能是成為大和民族的意思而感到背脊發冷。

因此我看了該會的設立宗旨，聽了相關人員的話，說到為何組成「成和俱樂部」是因為結婚問題。朝鮮人取得日本的國籍後被他們的同胞冷眼看待，日本人則由戶籍調查知道他們歸化之事。因而論及婚嫁時，日本人或朝鮮人都對他們敬而遠之。因此想盡辦法，無論如何要使其年輕世代間能通婚，聽說這就是設立該會最大的目的。

澤木：這是家族意識及民族意識的糾纏吧。我是家庭法院的調停委員，承辦過幾次類似的案件。有一個居住在日本的中國人，他的孩子只有一個已歸化於日本，其他的孩子仍具有中國國籍。在他死後孩子分遺產時，具中國國籍的對歸化日本的說：「你已經歸化日本，不應該得到父親的遺產。」

戴：他父親是在日本死亡的吧？

澤木：是的，在日本死亡。

戴：太嚴格了吧。這是家族意識及民族意識的一個矛盾。

澤木：是有矛盾的。朝鮮人也有同樣的情形。

田中：舉一個極端的例子，父親一提到歸化就生氣，甚至有殺死孩子的案例。

戴：太殘酷了。

田中：因此常聽到這樣的事，多少有點孝心的人，總是在父親有生之年不動歸化的念頭。

提到有關歸化於日本的問題，高見山歸化的時候，電視紀錄片時常拍攝他。他住在夏威夷的母親於二、三年前過世。他去掃墓時，有攝影記者追到那裡，向他問道：「關取，不久你就要取得日本國籍，取得國籍後是日本人呢還是夏威夷人？」高見山回答說：「不，國籍說什麼只是一紙證明，我是夏威夷人。」這是非常重要的事情。

為了生活的方便，乍看也許會給人輕浮的印象，但在有些情形下取得某國家的國籍，認為對自己生活上有好處，這與自己是何種民族的認同問題絕非是相等的，對此應該分開來思考。

因此若有十萬人歸化日本，而日本社會能提供環境，讓更多稱為金先生或陳先生的人具有國籍，並堂堂生活在日本的社會，這種事情將帶給我們契機，讓我們具有國籍相對化的想法。這也會關係到把日本的社會開放給外國，尤其是亞洲。

戴：這不僅是日本的問題。我最近出了一本書《華僑》（研文出版），其中初次提到雙重自我認同的概念。談到這個想法，在近代國家成立後，社會所運作的政治生活之下，對人類而言所謂政治及法律上的自我認同，在很多案例中是依國家意思，不管願不願意，由上面要求的，這當然需要接受。但是又有一種自我認同，對人類而言是宿命的，可說是屬必然命運論的部分，例如屬於靈魂問題、心靈依歸的自我認同。對此二者，近代國家成立之後，也受到民族國家至上主義的影響，希望依照國家的意思使政治與社會文化的自我認同，二者趨於一致而強制要求之。對此我認為一開始就隱含悲劇。

但是雙重自我認同（double identity）這個英文名詞，在具有以基督教為歷史及文化背景的英語文化圈，難免會被當作雙面膠（笑）之意〔譯註：日語原文「二股膏藥」，為貼在大腿內側的膏藥，有時黏到這邊，有時黏到那邊，意指搖擺不定的騎牆派〕。這可說是容易招來誤解的用詞，所以我把它換成「自相矛盾的動態自我認同」（paradoxical dynamic identity）。但我無法將此概念的定義充分地以日語做完美的說明。不過以我個人而言，假如我要歸化於日本，並不想改變自己的姓名。這是我從雙親得來的，與祖先有連帶關係的姓名。取得日本的國籍時要將其取消，對我個人來講還是很奇怪，無法同意。以改變象徵自己人格的姓名而取得公民權，是從開始就有矛盾的。只要是主權在民，首先我希望自己的人格被尊重，請求尊重自己的人格和做為日本國民要對日本憲法效忠，應該是沒有任何矛盾的。

我若要取得日本國籍，就會始終定居在日本，對日本的政治、法律效忠，同時參與日本的政治。但若在加入國籍時，連象徵我的人格權之一的姓名都被要求取消的話，我還是不得不說謊。國家明知說謊而以行政指導強制改名。其結果造成如對猶太人的懷疑甚或屠殺等，這樣不是妨礙了對猶太人問題的理解嗎？這不僅只是猶太人的問題，也是我們本身的內在問題之一啊！

如田中先生剛才所說，高見山巧妙地對此事說出真心話。也許高見山只是明確地表示，做為夏威夷當地出身的少數民族及一個美國人的考量，他認為國家與個人的關係畢竟是政治、法律上的關係，不應該把他個人的民族性或靈魂、文化、生活習慣輕易地讓渡給國家。因此，若以日本傳統的想法而論，高見山是做了非常不謹慎的發言。又，我想電視記者是以傳統日本人的思考，採明治以來所要求國家意識的代言形式做的訪問。從江戶末期到明治初期這段時間，我認為日本人的領導者確實寬宏大量。目前雖然資料尚未整理好，當時有很多人保留著中國姓名或朝鮮姓名而歸化。然而由於甲午戰爭、日俄戰爭，國家主義急速伸展，到了中日戰爭，國粹主義遂橫行霸道。目前雖然此情形已收斂不少，應該是到了要修正的時期吧。這是我所理解的。

關於此問題，聽說澤木先生最近寫了有關姓名的論文。

姓名所具有的語言性及人格性

澤木：愈研究愈覺得難。這是因為姓名是語言的一部分。日本除了與中國或朝鮮之關係外，也有與美國的關係。在此假設日本女子與美國人結婚，她丈夫的姓為史密斯，她可能被要求把以前甲野花子的姓名改稱為史密斯花子，但是在日本戶籍上的記載規定不能有羅馬字的姓名。如果改為羅馬字開始被認可，國際通婚被推廣的話，那麼日本的戶籍記載變成有阿拉伯文和俄羅斯文，這是不行的。

這麼一來，日本因為日語是國語，要求至少必須用日語書寫，所以用片假名寫成史密斯，有這樣被承認的判例。但有些外國語的發音對日本人非常難。在這種情況下，如何將其再稍加簡化使成容易接受的日本式語詞，總希望所取名字在日本社會中以某種程度當作日語來通用。我認為這是不得已的事。

還有一個，與中國或朝鮮的關係也很特別，同文而異音，發音不一樣。這又是導致棘手的原因。例如「金敬得」以朝鮮語唸成「Kim Kyon Dok」，但一般日本人則唸成「Kin Kei Toku」。

以歐美的例子來說，法國人把叫作George的美國人發音為Joruju，因為在法國要這樣發音才正確。

戴先生說自己的姓名係父親給的，確實構成自己人格的一部分，而用某姓名稱呼某人是語言的一部分。對這種姓名的人格權與語言性，如何調和此二方面，我想才是課題。

戴：其實，華僑之中也有人這樣主張，他說：「戴先生你是拘泥於什麼？姓名不是符號而已嗎？你是姓林田或是姓吳，和你的精神結構沒有任何關係。請不要拘泥於那些，趕快歸化吧。只要你自己不改變，用日語唸成『Tai Koku Ki』，中國話唸成『Dai Guo Huei』，這樣貫徹到底不就好了嗎？」

但我還是覺得要執著。如果我決定取得日本國籍時，我希望照原來使用漢字「戴國煇」。同時我想請各位日本人能深入了解的是，應該尊重個人的靈魂問題與人格權，以及要這樣做對文化創造才有助益。

但是國家從開始就把靈魂的問題與政治、法律的問題搞複雜，對人的意志由國家貫徹某種強姦的行為——中文則謂「強姦民意」，至少我認為這種事情不符合民主主義。因為有這樣的強制，所以曾經有一部分朝鮮人或猶太人不得不說謊話。人一旦被逼到這種狀況，就不得不變得很陰險。人類史上很多人曾發生過這樣的悲劇。今後以全球性的規模我們要共同生存，在這種狀況下，有重新評估此種悲劇的必要。

我尊重日語，但對歸化這個用詞與同化同樣厭惡。並非指歸化的法律手續，亦即取得他國國籍絕對不好，問題是無形中被迫說謊，一旦變成不得不說謊，首先就其個人而言在人性上產生負面影響。對於接受很多這種人的社會有什麼益處呢？我很懷疑。

田中：剛才戴先生所說的話很重要。如高見山所說，國家與個人的關係，應該是相當冷靜的。而以往可說都只考慮到絕對服從的關係吧。

假如日本法務省〔譯註：即法務部〕終於站起來，在國際婦女行動十年計畫剩餘的五年，實施國籍法改為父母兩系，而終於做下決議，若能照預定進行，就可在五年內改變日本國籍法為父母兩系。如此一來，日本人的母親和中國人的父親在日本所生的小孩，就可取得日本的國籍，因此依中國的國籍法第五條，該小孩不得具有中國國籍。

有關剛才所提姓名的問題，那麼這個小孩要如何取姓呢？其出生時取得日本國籍，是自然取得，而不是歸化，取姓名之事不應該是件批准事項。在此情形，因為父親是中國人，一般的想法是以父親的姓做為孩子姓氏之可能性較大。此時因為父親是中國人，有時依照情形，基於輩份排行，給孩子取姓名而提出出生申請吧。此時日本市政機關要如何辦理呢？我想會牽連到漢字的限制，但是姓是可以認為是不一樣吧。

澤木：是的，姓沒有漢字的限制。

戴：沒有嗎？那麼我在申請歸化時，就應該可以主張使用「戴」吧。

田中：不清楚，歸化時是不行吧。

戴：不，是否批准另當別論，僅做主張應該可以吧。「戴」

的姓若不涉及漢字限制的話。

田中：只有名字是受到限制的。

澤木：是的，只有名字。

田中：如此一來，至少有些人一生下來就具有很明顯被認為是中國人的姓名，他們完全不具中國籍，而是具有日本籍。這種人會變得相當多，經常出現，並不例外。朝鮮人也會發生同樣的事，因為本國的國籍法不一樣，對於朝鮮人也發生雙重國籍的問題。

這雖然預想是幾年後的話題，如果有這樣的人出現，他具有明顯可知是中國人的姓，而且具有日本國籍，日本的國家或社會對於這種人會貼上中國人的標籤嗎？或是在法律上因為他們是日本人，要如何辦？應該成為相當具體的問題。如此一來，民族的身分認同問題與國家相關的國籍，兩者之間會有一定的差距，亦即未必是相同的東西，這會變為一般能看得愈來愈清楚的事。若是如此，僅在不可避免而要歸化時，才需要變更姓氏也變得很奇怪。

因此，這需要一點時間，因為必須像這樣配合各種國際的趨勢，日本至目前所具有的國籍觀或民族觀，我想不可避免地逐漸需要改變吧。

包含定居外國人的住民連帶關係

戴：剛才澤木先生提到在中國全人代的代表中，保留在外華僑的議席，這當然是在做積極的保障吧。此事可說是與國籍法有關聯，具有中國國籍的人雖然在外國沒有從事政治活動，但回來參與政治是被允許的，這是周恩來的仰光談話所出現的問題。我認為這樣可以，但問題是已取得外國國籍的人要參加全人代顯然不行。

另外有個問題一定要請教澤木先生。我個人的願望是希望把國籍及市民權的概念做更多整理，在其間劃分界線。這怎麼說呢？就讓我來談我個人的問題較為清楚。我現在是杉並區的居民，住在日本已有25年，簽證是永久簽證。納稅方面或有關其他所有事情，我都和日本國民一樣盡著義務，但總覺得我個人參加日本中央層次的國政是不對的。又譬如對於自衛隊的議論，我也認為不應該參加。

但做為納稅人之一，我想對日本的文化創造有所貢獻，也想那樣去努力。在這種情況下，我要求認同的事情不是國籍，而是市民權。譬如我會覺得要求參加地方政治會不會是奇怪的事，但在現實上，我除了國稅以外還繳納區民稅，在杉並區小孩也受照顧。由於參加地方政治，我也會有種種不同的構想，因此我認為應該可以開始認同這種政治參與了。這並不是說因為我是大學教員，而是說做為納稅人應該可以有這樣的思考。

這麼一來，當然必須區分國籍與市民權來考慮。但現實上這總是有重疊的狀況。是否連法律專家都還沒有做好整理？想請教關於這方面的高見。

澤木：市民權和國籍之名詞以同樣意義來使用的情形很多。有的國家把國籍法稱為Nationality Law，另有國家稱為Citizenship Law。

戴：是的。

澤木：所以這樣用法時就完全相同。不過在美國的話，American National和American Citizen的含意不同。例如，關島人是美國國民，但沒有總統選舉權，所以雖在國民之範圍內，但不具美國的公民權。英國的情形也是，此時香港人雖然是英國的國民，但是沒有聯合王國的公民權。

剛才戴先生所提出的問題是要區分使用國民和市民二個語詞，或其定義，我認為沒有考慮的必要。至目前為止，可以說只以國民的層次考慮人的權利或生活的問題，尤其日本的情形是如此。在此我認為有問題。就在最近，新聞報導厚生省（福祉衛生署）與外務省（外交部）對於批准難民條約有關的社會保障問題已達成共識，日本的法律對使用「國民」一詞非常有興趣，如國民年金法、國民健康保險法、國民體育大會，甚至據說住在日本的外國人不得參加體育祭典。

戴：職業棒球的王〔貞治〕選手在讀高中的時候，據說被拒絕參加國家體育大會。

澤木：是的。在日本曾有這種想法，即認為國家與國民之聯合體才是唯一，其他是外國人。但事實上，現在應該也有由居住在日本這塊土地上的人所構成共同體的觀念。在此我使用住民連帶的名詞來與國民連帶做對比。更進一層，還有國際連帶，是含太空船地球號機組員之意。大家都喜歡使用這些名詞，但我認為現狀絕非樂觀，所以這非常困難。在國民連帶之情況下，因為國民之間要互相合作，國籍就具有重要的意義。

但是我認為，我們必須重視其他以住民連帶的概念為中心、新的人與人的關係。有很多國家認為居住在外國的本國國民沒有資格享受本國的社會保障，這是因為年金或社會保險是靠納稅人共同來支持，如此一來，這種事正是要靠地方社會來支持的。此次的社會保障制度要擴展到外國人，我認為對日本而言是非常大的進步。這種思想一旦擴展開來，住在日本的外國人在區域政治、地方自治上當然就會站在住民的立場，提出某些發言。因為在發生公害的情況下，不僅日本人是受害者，住在該區域的人包含外國人也都是受害者，所以其性質不應該是只有日本人才能對此提出意見。

不過以往的思考方法只有國際連帶或國民連帶觀念，以住民連帶為基礎的想法在日本還未固定下來。外圍好不容易做好的只有社會保障。我認為這是第一步。此後一步一步地進展，不知何日承認定居外國人的地方自治選舉權，我想那時代總會到來。

戴：因為市民權與國籍被混合使用，因此做為代替的名詞，把Residentship的概念連結住民權，不是也可以嗎？

澤木：我想是的。但是剛才我使用了住民連帶一詞，要說住民或說居住，若涉及法律論點，在一、二年前各是如何？在此發生必須為其定義的問題。

法國的社會保障有支付老人年金給外國人，但年齡須達70歲，在法國住滿15年，在年數上受限制。

戴：我認為可以限制。但現在日本的法律完全忽視居住歷，這點是落後的。

澤木：不，全世界才剛開始往這個方向在推動。

戴：正是如此。不過我想說的是，對經濟大國而言是有點落後了。

田中：國家層次一直把外國人與國民分割即如你說的。不知道是否為了「地方時代」這個口號，縣市等地方政府好像一直在微微改變中。例如兒童津貼法不對外國人提供，但在東京都卻可以領到。兒童津貼的財源可能由國家與地方負擔各半，實際的給付由地方執行，但東京都則全由自己的財源撥出。

再如兵庫縣尼崎的例子，國家沒出錢，卻說由地方財源部分也要平等給付。當初日本人給5,000日圓，外國人給3,000日圓，但因有強烈批評，結果地方由自己的財源來給付與日本人相同的金額。

再者，關於公共住宅的居住資格，也在去年4月由建設省（營建署）發出正式通告，要將本國、外國人一視同等。以前則依地方而不同。這種例子，我認為就是住民逐漸在承認成員的權利。因而日本加入難民條約以後，會變為全國性的。

戴：我也認為雖然是逐漸地，但正朝好的方向進行。尤其像澤木先生為首的法律專家，如能將現在的問題積極地做理論的整理就太好了。不過看了新聞，覺得這種事立即被直接當作差別或道德的問題來處理，這樣不容易解決問題。

現實並非真如小松左京（1931～）所寫科幻小說《日本沉沒》那樣，但有可能發生，目前的情況是搞不好連地球也會沉沒。我們以何種想法與國內外的鄰居們共同活到未來，這是至上的命題啊！因而要去考慮什麼樣的連帶關係，我想已經到了應該相互著想的時候了。

關懷在華戰爭的孤兒

最後，關於中日間所產生戰爭孤兒的問題，到目前已成為各種話題。此問題由我來看，做為中國人覺得非常可恥。怎麼說呢？就是對這些人有時給予禮遇，有時以間諜對待，有差別待遇。很多情形下，禮遇又牽連上差別待遇。另一個是國籍問題。關於中國人養父母的養育之恩，須另外考慮，此處做為法律問題來考慮。

這些戰爭孤兒生活在中國，不論語言與文化都全然中國化，在其他各方面也相應地對中國做了貢獻。但是在文革時期，對他們說，你的雙親是日本人，或說你的父親是日本人，因為外國人所以有可能是間諜，以各種形式加以差別待遇。而到了中日建交時，就說要給予特別配給而加以優待。這不過是差別待遇的反面而已。

因而，這次既然制定了國籍法，希望這些人能作自主的選擇。現在中國很貧窮，能否設法到日本，幼小時所見到的父母可能還活著，想盡力去尋找，這種心情可以了解。但事實上，就我認識的人從中國出來後，卻因無法適應現實之日本，只好回去，甚至也有自殺的情形。

希望藉著這次的國籍法，至少就其相關面做法律整理，然後加以人道的考量。他們真是有夠悲慘。為之加上溫馨的關懷，我認為有必要從這兩方面重新正視戰爭孤兒的問題。

澤木：由於所發生之事屬異常事態，不論採血統主義或出生地主義的普通國籍法，以其規定是無法處理的。父母親都生離或死別，二、三歲後就一直寄養在中國家庭。血統上可能是日本人，但文化上完全屬中國人，因此以通常的意義來論國籍，也無助於解決問題吧。此問題反而應由二國間設特別協定，或由中國訂簡易歸化辦法，使其入中國國籍。

戴：此時，希望尊重個人之意思。

澤木：是的。不過在此做為政治集團，除了選擇哪邊國籍外，關於剛才所談自我認同之問題也包含在內。認為自己體內流著日本的血液，希望探訪祖先的墳墓、探訪親戚等。

戴：這應該加以允許

澤木：是啊，因為與國籍的問題是另一回事。

戴：所以說此戰爭孤兒的問題，日本與中國雙方首先在法律上要擬定關懷這些人的施行細則，同時因為中國貧窮而可能有困難，但希望對這些人給與旅費，使其能探訪自幼心靈中的祖國。如無法在日本生活的話，可選擇回中國再過人民公社的生活。

不要使這樣的人覺得背叛了社會主義而感到悲哀，日本也不要只是可憐他們。對我們說的「自相矛盾的動態自我認同」問題，應該採進一步的看法，希望不要以褊狹的眼光來處理。

田中：就算日本有種種理由，事實上也對這些人忽視得太久了。中國方面也在文革有過種種情況，而日方則將此問題做為戰後事務來處理。這樣的人持中華人民共和國護照回來，日本僅視同外國人來處理。雖然在家事法庭曾有承認其日本國籍的例外案例，但也聽說有跑到公所僅出示中國護照而得不到什麼照顧的情形。與其如此，不如即使視同外國人也在入境時給予方便，譬如設定特別期間等，有計畫地保障這些人的來回，讓他們能自主選擇住在哪一邊，日本方面不這樣考慮的話……。

戴：希望中國那邊也協助配合。

田中：對於中南半島難民也已經做出與以往不同的作法，此種戰後事務雖嫌晚也要處理。希望秉持這種精神，以目前中日兩國之友好關係為基礎，雙方努力來解決，而日方也須採特別對策。

戴：但願如此。

本文原刊於《日中経済協会会報》第92號，東京：日中経済協会，1981年3月，頁15～35。爲「中国国籍法制定の意義とその背景」特輯內文章

中國社會的今日與明日

——六中全會前後的中國政治・經濟座談會

◎ 蔣智揚譯

時間：1981年8月18日

地點：國際文化會館研討室

與會：傅高義（E. F. Vogel，哈佛大學社會學教授）

曹瑛煥（亞利桑那州立大學政治學教授）

戴國煇（立教大學文學部史學科教授）

戴國煇（以下簡稱戴）：傅先生，你在日本的暢銷書《日本第一》於最近〔1979年〕7月底譯成中文，並利用這次的機會在北京演講。請你述說其間的經過兼作自我介紹！

中國意識到與外國的落差

傅高義（以下簡稱傅）：我去年〔1980〕在廣東待了三個月，期間到各處仔細看了不少東西。這次到北京一個星期，廣東只去了三天。

我看到中國的社會面臨了最根本而嚴重的問題。其中一項是在文化大革命（1966至1977年為止11年間）期間，幾乎沒有高等教育。不管工作上或是軍方關係中，只要稍微左傾的年輕人，就馬上能出人頭地。所以在有名的企業、黨辦公室或政府之中，都是「外行」在把持著權力。因而，現在不管在哪裡，大約20到30歲左右的人幾乎都沒有受過高等教育；再稍微年長的一代中，也沒有好的指導者，他們幾乎都未受適當的訓練。所以20到50歲之間的人都是「外行」，他們之中可說沒有一個名副其實的專家。

在接下來的世代中，雖然讓年輕人接受教育……1977年以降進入大學或高中受教育的人將畢業，今年起將會有非常優秀的學生投入企業、政府機關和學校。但並不代表這些人去各個地方，就一定會受到那些在文化大革命時出頭的人所歡迎。反而也會有許多人覺得自己的地位受到威脅。想必那些年屆中年、什麼都不知道的幹部，不會去歡迎年輕而能將事情做得很好的人吧。

還有一點就是，當初我認為大家會為1977年之後中國漸漸地自由化感到高興，但實際上並非如此。這是因為最近三、四年的開放政策讓一般人也知道外國與中國還是有很大的落差。他們說：「在四年前，我們還不知道原來中國的狀況那麼糟。在自由化的同時，我們了解到外國其實比我們做得好。」所以感到錯愕、失望。

舉個例子來說，一組從中國來參觀美國汽車工廠的視察團來到GM（通用汽車），我的幾個美國朋友正好是這次斡旋的人，他們告訴我，以為中國的視察團看了之後會很高興，但結果團員感到十分錯愕。為什麼會感到錯愕呢？因為GM與中國的工廠竟然相差那麼大，他們了解到為了近代化所需要的東西有那麼多，事情不是那麼簡單，因此似乎感到非常沮喪。

然後我在廣東省所看到的是，在香港生活遠比在中國來得好。今日的中國，不管怎麼拚命工作，可能也沒辦法過那麼好的生活。例如，即使每年的收入增加5%到10%，也不夠買一台電視。現在要買一台日本製的好電視需要800元人民幣，一個年輕人的月收入是40元人民幣左右，即使他將每月的薪水全部存起來買電視，也需要花四年的時間。但生活需要有許多的花費，若想要買台好電視，生活費必須非常節省才行。他們是因為這些而感到錯愕。

因而，這些事情以及前面所說會做事的人（內行）與不會做事的人（外行）的矛盾，換個說法就是在解放之後，黨的人還是太多。在最初就該實施行政改革的啊！雖然到目前也進行了不少運動，但做得並不徹底。結果卻讓黨變大了。現在的黨員應該有將近四千萬人吧，而且糟糕的是黨員的教育水準很低。現在，就是這些黨員們在負責做事。

再者失業率實在很高。表面上說起來似乎沒什麼人失業，但實際上是有的。他們使用「待業青年」這個語詞。意思就是說「等待職業分配的青年」，聽起來很好聽，但說穿了就是失業。因此可以認為失業率非常高。所以黨員與政府的人會很擔心若是年輕的人進來了，自己將來會變得如何？視情況甚至可能被下放到農村去。現在農村與都市的差距很大，從都市到農村去是件非常辛苦的事。因而感覺受到很大的威脅。

還有，在中國國內各個部門之間的爭地盤糾紛，也是個嚴重的問題。

戴：就是各部門間的本位主義嗎？

傅：是的。這種現象非常嚴重。例如，我的朋友想要在北京賣東西，即使是經過中央政府的某部門許可，別的部門還會出面阻止，導致什麼事情都無法進行。所以必須要經過許多部門一一許可才行。手續繁複，而且還不保證每一個都能過關。

一般來說，還是存在著許多嚴重的問題。今年與去年比起來，要是說較為樂觀的話，我覺得有點誇大其辭，但實質上還是有一兩個具未來性的地方。

一個是我去年到中國的時候，大部分的人還是開口閉口都講文化大革命。但是今年，例如北京的某中級幹部就變得稍具積極性，暢談為了將來必須要去做什麼事，該建立怎麼樣的組織，在這方面的狀況可以說改變了不少。

戴：還有一個是什麼呢？

傅：就是年輕人漸漸地有出頭的機會了。例如，在文化大革命時沒受過教育的人，也自動自發起來，利用晚上看書，或在特別教室裡拚命學習的人到處可見。即使在那樣困難的社會中，這些正面的現象似乎也漸漸浮現出來了。

中國大陸與台灣的意識落差

戴：傅先生在北京演講時，都是哪些人來聽呢？

傅：一開始是中級幹部而與日本有關係的人居多，都是社會科學院或是外交部等的黨幹部和研究日本問題的人。地點是在北京叫作「國際俱樂部」的地方，他們跟我說聽眾大約有六十人左右，大概可說多為三十至四十幾歲的年輕人，所以有非常積極的感覺。

在那之後，最近在社會科學院中不是設了日本研究所嗎？我與二十五名左右的相關人士開了座談會。除此之外，也被其他中國朋友們拉著開了幾場小型座談會。例如在國際問題研究所或是第八機械工業部等。

戴：聽演講的人所提出的問題或討論的水準如何？高還是低呢？

傅：在中間左右吧。我覺得中國在最近三年中才發現了世界，才剛開放不久。但即使在這二至三年間拚命地學習，也無法馬上把整個背景都搞清楚吧，只是抓到了大概的情況。

例如，在台灣也有聽過這種說法，一個中國人與一個日本人比的話，中國人的頭腦比較靈光，但如果是三個人在一起的話，日本人會做得比較好（笑），日本人是如何靠組織做得好呢？……

戴：問了這種問題嗎？

傅：是的。

戴：傅先生怎麼回答？

傅：很難去回答（笑）。我覺得這種問題包含了許多重要意義在裡面。

一個是也涉及中國人的自尊心：為什麼日本可以做得這麼好，我們中國文化比較悠久，曾經以大國的姿態來教日本。而又小又驕傲的國家怎麼有辦法做得比我們好？這個問題也許蘊藏著此意。

另外一點是，認為我們中國人到目前並沒有好好思考過組織的問題。日本人在這點真的做得很好，而了解到「管理」這件事非常重要。

戴：傅先生，你大陸與台灣都去過，對於中國大陸與台灣之間的將來、關係的展望有何看法？

傅：將來會變得怎麼樣，台灣人對這個問題不會坦白地說吧。我覺得台灣最近三年做得非常好，例如一感到有石油危機，便能像日本一樣使國內的政治力量團結起來，在這一點，有外壓的台灣也比較容易團結，感覺在團結上比以前好很多，從外面來看也似乎很有自信。與日本一樣，台灣在第一次石油危機時非常擔心，但在第二次石油危機時一副神色自若的樣子，我覺得是因為前次能夠渡過難關，所以產生了自信。

戴：剛才請教了在中國大陸所提出問題的水準如何，在台灣又是如何呢？

傅：當然是台灣的水準比較高。在1945年日本戰敗之前台灣人都在日本的統治之下，所以會日文的台灣人很多，而且50歲以上的人對於日本的事情可以說很自然地親身體驗學習過。

我在台灣的演講是在《聯合報》刊登了廣告。雖然一張名信片只能拿到一張票，還是來了二千二百人左右，據說想來的人更多。所以《聯合報》形容我的演講是「傅高義震撼」。而這個震撼所呈現的是年輕一代對日本的事情並不很清楚，50歲以上的人對日文滿了解，但較年輕的人卻對日本一點都不關心。學習日文的設備很少， 也沒有特別的正式學校。什麼都沒有，卻來了這麼多人，所以相關人員嚇了一跳。聽說在演講之後有些人開始認為今後也需要認真去了解日本。

戴：演講之後有人提出問題了嗎？

傅：有。他們非常認真地在聽，所以提了不少問題。但台灣的問題意識與大陸完全不同。大陸的問題是今後必須建立根本性的組織，但台灣的卻是：我們到目前為止仍生產衣服與鞋子，今後必須開發高級技術，因此必須提高教育水準，而其組織的方法要如何去做。

我認為台灣的大企業面臨的問題意識十分有趣。台灣企業全部都是新的企業，公司裡的高級幹部都是股東的親戚或是朋友，並沒有所謂的菁英幹部員工制度，幾乎沒有從勞工或技術人員晉升的幹部。現在台灣的企業愈來愈大，漸漸需要具有專業的主管，像目前只靠親戚或朋友是沒有辦法應付得來的。實際上能勝任這些工作的親戚、朋友，其人數會受到限制，台灣已經到了該如何解決的階段了。

還有就是台灣人覺得很自傲的一點，雖然日本做得非常好，但在戰前花了五、六十年的時間才達到今天的水準，但台灣卻只花了25年就成功了。所以希望大家能了解台灣比日本來得快，還要我寫一些東西來介紹台灣經驗呢！（笑）。

戴：傅先生見到國民黨的要人嗎？

傅：見到了如行政院長孫運璿，和他談了一個小時左右。

戴：問起中國大陸的事嗎？

傅：是的。

戴：大概透過報紙在了解吧。

傅：中國大陸的事不是很了解。我的感覺是，三、四年前去台灣時要是提到中國大陸的事，他們就會很緊張，但現在卻不會了，大概是比較有自信吧。

戴：有積極地想要知道的感覺嗎？

傅：不光是如此，還會很有自信地說，我們做得比大陸好很多，大陸還滿可憐的之類的……（笑），感覺最近變了很多。

曹瑛煥（以下簡稱曹）：傅先生拿中國大陸與台灣做了一些有趣的比較，但社會主義國家中貧富差距最小的是中國，而類似資本主義國家中貧富差距最小的是台灣。例如韓國，有錢人的20%與窮人20%的比率是15比1，台灣則大約為4比1吧。這一點，中國大陸與台灣十分相似，還有對蘇聯的觀念也相同。我一直有這種感覺。

六中全會是政治調整會議

戴：還有，中國共產黨的六中全會於6月底結束，在7月1日建黨60周年時，胡耀邦發表了演說。到這期間的過程中，經歷了四人幫的逮捕、鄧小平復出，接著在1978年12月三中全會中首次正式敲定了四個現代化，而其胎動一直持續著。然後過世的周來恩加上鄧小平路線，以及鄧體制的大致底定，除了軍方問題之外，這些可說都是這次六中全會的重點。如果這個看法被接受的話，我認為這個六中全會，是對中國共產黨甚至中華人民共和國非常重要的會議。

傅：我大致上也這麼認為，想再補充一點，我覺得這次的六中全會也有準備黨的第十二次大會的意義在內。我的看法是，在越過一個山頭的過程中，必須想辦法再越過下一個更大的山頭。所以即使已經有了某種程度的整合，我覺得還需要再一次類似的會議來做大會的準備。

曹：我也是這麼認為。這次的六中全會並沒有討論到經濟問題：第一是為了經濟政策的調整所引發的對立；再來就是關於人事，在於華國峰與胡耀邦交接時所發生的問題；第三就是在做毛澤東的評價時花了不少時間或者是說花了不少心思，可能是因為如此而讓經濟問題被挪到後面去。

還有一個問題就是鄧小平成為中央軍事委員會的主席，這是違反現行憲法的。因為現在的憲法中，規定由黨主席兼任。坦白說，現在的中國指導部認為，中華人民共和國憲法最初在1954年制定，最近已經愈來愈不適用。因此辯解說現今的憲法不合時宜，加以違反也無所謂。但老實說，也有人說這是鄧小平為了掌握三軍統帥權所採取的行動，此外對於今後國家主席再設的問題，也有讓鄧小平做國家主席的傾向，為了解決這個問題，有可能在這一兩年之內會制定新的憲法與黨的規章來將其行為正當化。即使如此，軍部預算被刪減20%，人員也被刪減20%，再加上對軍方特權的批判也愈來愈強烈。所以鄧小平要是沒有在這個位置上的話，反而沒辦法應付目前的狀況。相較之下，胡耀邦與軍方的關係較不密切，所以由此可以理解為何是由鄧小平成為軍事委員會主席。

戴：現在已公開兩份與六中全會有關聯的重要文獻，分別是〈關於一些建國以來黨的歷史問題的決議〉與胡耀邦成為黨主席後在建黨60周年典禮時所發表的紀念演說。在這些文件公開之前，例如有1979年9月葉劍英的建國30周年典禮的紀念演說，你覺得該如何去看這段期間主要的政治動向或是潮流？

曹：對於毛澤東的批判，我覺得胡耀邦比較不肯妥協，而鄧小平對此持比較妥協的態度。

就如經濟面曾調整過一樣，政治面不是也調整過了嗎？這點從中國的歷史背景來看，不管在什麼時候都有這樣的傾向。就此意義，我覺得在這次的六中全會中也可以看到他們對毛澤東的評價本身也有所調整。尤其對華國峰的評價，承認其部分的功績，將他就某種意義的地位維持不變的作法，在以往的中國是非常罕見的。不像從前，例如在開除劉少奇或是林彪時加以激烈的批判與漫罵，這是值得注意之處。

戴：不以完全否定的形式來打倒，這次是嘗試以一定的定位的方式將華國峰留下，這種事例尤其是在領導人交替的時期，可以說是劃時代的作法。

曹：對。從中國政治的歷史過程來看的話，總是在矯枉過正之後再來做調整，這在政治面上也會反映出來。從這個角度來看，這次的六中全會意義深遠。

另外，以往的中國，毛澤東只強調上層結構，而現在則只說基礎的下層結構要如何。在吸收國外各地的資訊之後了解自己國家與他國的落差，要如何才能彌補此落差則成了重要的課題。雖然傅先生以一般人在認識上起了革命來表現這件事情，但要是從這個角度來看的話，領導階層對自己國家的認識，也同時在現代化。目前為止，在美國研究中國問題的專家表示，中國領導階層的自國認識非常落後，他們好像也都讀了傅先生的著作（笑），所以自我定位有可能會漸漸地改變。一般來說，人們在發生問題後才開始有展望未來的傾向。今後世界將往電腦化、資訊化的理想社會發展，誠如傅先生所說，資訊的發達將會造成十分大的震撼。換個方式說，這是某種意義的文化衝擊。

就此意義來看，有趣的地方在於，傅先生在關於日本的演講中提到，日本向歐美學習，從前則曾向中國學習，而傅先生又在書中提到美國應該向日本學習。若中國人讀了這本書，應該會受到非常大的衝擊。一般來說，對現實的事情期待愈高，其差距會愈大吧。在這多樣的條件中，中國當局不也拚命地在調整各方面嗎？現代史或世界史不就都是在調整的過程當中嗎？

中國人對中國文化的歸屬意識

戴：針對這點兩位所提到與外國的差距或者是文化衝擊，傅先生形容中國人在接觸到訊息後感到非常沮喪，曹先生認為他們在受到衝擊後則是目前的現狀。中國會在受到衝擊之後一蹶不振嗎？還是會在沮喪之後力爭上游，但他們有辦法爬上來嗎？關於這點你如何判斷？

傅：這是個非常有趣的問題。最初對於與國外的差距，有兩成抱持著樂觀的態度，失望的人則是占大多數。最近抱持樂觀態度的人，應該有增加的趨向。

再從另一方面來看中國，在美國接受高科技教育的中國留學生，回國後能不能實地運用自己所學的知識？這造成許多不安的因素。在這些不安的因素之中，有些人認為有學以致用的機會，就是說也有稍微樂觀的人在；另有一些留學生則懷著氣餒的心情，態度不甚積極。

曹：這件事情有趣的是，鄧小平似乎不怎麼擔心去美國留學的學生不回來。

傅：這只是原則而已。他最初是這麼想沒錯，但現在，例如，美國招待許多中國留學生去美國一年，照理來說今年應該要有不少留學生歸國，如今卻有很多人想要延長留學期間。雖然延長的理由是一年的時間並不夠，但真正的目的是什麼，其實是很曖昧、微妙的。

曹：鄧小平的想法有趣之處在於，他在幾年前向日本經濟界的領袖要求，一年讓二萬名學生去留學，而該領袖則回答，東京附近並沒有住的地方，學校也沒有宿舍，要怎麼解決住宿的問題？鄧小平說，讓他們去住寄宿家庭不就成了。但提到寄宿家庭太過自由，學生容易受到影響時，鄧小平並不怎麼擔心，並說中國人有規律性，即便待在其留學的國家，還是不會改變思考方式，以長遠的眼光來看並不需要去擔心。我覺得這點與其他的社會主義國家有點不同。其他社會主義國家對於這種問題十分小心，中國才對外開放不久就不怕流失人，也對這種可以說是逃亡並不顧慮，這種現象很有趣。

傅：我認為鄧小平的想法非常大膽，是很好的想法，但中國是個相當複雜的國家。

例如，社會科學院派年輕人到美國去，明年的計畫就是要這些去美國的人回來指導其他人，人要是不回來的話就沒有辦法做任何計畫。這些人不回來對他們是一種困擾。中國至去年為止的政策是，由在美的「華僑」提出申請，若在美國讀書的費用是由「華僑」負擔的話，就馬上批准出國，但最近卻變嚴格了。我覺得這是意味著去美國的人大多不回來之故。

戴：我也聽過一些有趣的事是與此事有關的。

其中一件事是在某個機會中聽到的，主要是有些台灣出身的人，在1950年代前半期從東京回到中國，本來抱著夢想要參與建設美好社會主義的中國，但現在卻很想再回到日本。當然一開始的時候有許多顧慮，沒有說出真心話，但漸漸見到他們的親戚朋友後，有人開始透露心裡真正想的事。回歸中國的人大概以1953年的歸國團為最多，他們說若是能有像1953到1956年的這段期間一樣的待遇和環境氣氛，能受到重視，受到尊敬，而且信任他們、讓他們去做事，不會像文革時那樣做一些亂七八糟的運動，孩子們也能有參加大學入學考試資格的話，其實他們也想回中國。因為他們年紀也大了，即使回到日本也沒辦法適應，也沒辦法找到好工作。再加上日本對外國人的居留資格限制得很嚴，已習慣中國式的生活，有養老津貼等老年生活保障，還是有些人願意回去中國。只不過實在經不起持續的鬥爭，還會被貼上華僑、台灣人的標籤，小孩子沒辦法升學，這些都是煩惱。而一起回來的年輕人則說傾向先念書，慢慢觀察今後的走向，再來決定自己立場。

另一件事是，一位來自巴黎的白人學者——我現在想不出他的名字，是個老共產主義者，聽說因為反對史達林而有坐牢的經驗，雖然他沒有去過中國。有人問他：「隨著中國的開放政策，預估中國會產生許多逃亡者，但逃亡的人數卻意外地少，相較之下為什麼蘇聯、東歐的逃亡事件會這麼多，特別是蘇聯的逃亡者中有不少人的物質生活並不差，這又是為什麼？還有中國當局非常積極地送學生到自由主義陣營去留學，事實上也有非常多的學生、技術研修生出來，要是他們像打出去的子彈一去不回的話又會如何呢？」他則反問對方：「究竟中國人選擇中國以外的文化、生活方式和料理的可能性有多大？」碰巧曹先生以前也曾提到中國人對中國文化的歸屬感、歸屬意識和認同都十分強烈。這與他的說法正好吻合，身為中國人的我也覺得很驚訝。

傅：結果即使是長年住在國外、自認是中國人的意識還是非常強烈。

戴：剛才所提到巴黎來的學者的說法與這個很相近。他強調我們必須去思考文化與歷史所具有的重大意義。所以那個人的想法是在國外觀察中國的局勢四、五年，局勢要是不穩定就不回去；有改善就回去。

傅：沒錯。

曹：這一點若以短期來看，中國經歷了寶山與石化廠計畫的失敗，最近也可能要計算留學生的人數，但以相同的條件來說，例如以蘇聯的外交官與留學生比較的話，中國人對中國的歸屬性還是強了一點，所以感覺上並不用像其他國家一樣擔心會有大量的人才外流而不回來。

傅：我雖然也與曹先生持相同的意見，但中國的人口實在太多了（笑），所以即使有幾十萬人出去留學也不是件什麼大事。只要有十分之一的人回來就夠了（笑）。

戴：這是很有趣的觀點。從另一個角度來看，也可以將人才外流視為人才暫時儲備於外國。

傅：另外就是以長遠的眼光來看問題，目前的衝擊感覺上是可以當作「苦藥」的階段來看。也就是說，若想讓自己的國家進步，在還沒弄清楚國外的狀況之前不容易做到，而現在是稍微知道為此需要什麼的階段。

還有一點就是，北京的問題意識中有所謂「管理」一詞存在。在美國求學的中國留學生到底都在學些什麼東西，我覺得有九成都在學習科學技術，但現在卻知道光學習科學技術有點不夠。這些學了科學技術回來的人，有做得很好的與做得不好的兩種分別。由此可知管理的作法與組織的用法變得十分重要，而「管理」一詞在北京十分流行。目前能代表北京的氣氛，「管理」是最貼切的。會計管理、企業管理，還有中央政府與企業之間關係的管理、經濟管理等詞語非常多。在我演講時的提問者中，也有很多類似的用詞出現。

中國官僚主義的克服與日美交流

戴：剛才出現管理的話題，前面提到教育的問題，中國以往只以政治思想來評價黨幹部，但這種作法只會讓他們停留在「外行」。同時，在政治優先主義下，即使幹部沒受過大學教育、高等教育，也能保住他們的地位。但這種情況下的管理效率則會非常的低。

對於這點，胡耀邦在演講時提到：總而言之，要提拔幹部需要「年輕」還要有「德」，德就是所謂的人品與思想；「才」就是所謂的專門人才，也就是才能。他所講的就是提拔符合這三項條件的人才，使其擔任要職，卻缺乏具體性。其中一個理由就是：就如傅先生所說，延安以來包括毛澤東，那些沒有受過高等教育的人也能幹而這麼一路走來，這種情形，就是將所謂的例外或不得已的情況加以正當化，並且還培養出「奇怪」的自信心，阻擋了進步。

從延安一路來到了都市。即使到了都市後將知識分子改造，卻始終無法將他們當作同志般信任；說大學教育沒什麼了不起，考試交白卷也可以。而這就與傅先生所說的一樣，再怎麼呼喊「管理」這個口號，也無法與實際效果成正比。所謂的管理，是需要內涵充實的專門教育、高等教育，對於這點曹先生認為如何？

曹：一般來說，黨對教育問題並沒有投入太多的精力在人事問題上。在這方面，因為到目前為止政策的搖擺實在太多，傷害到態度認真的黨員或大眾，特別是年輕人的意願。

對於今後現代化的問題，教育面與管理組織面應該占有十分重要的地位。從中國的歷史來看，中國是歷史上最早發展出管理組織的國家，卻沒有將管理政策有效應用在組織上的歷史。即使學了蘇聯的管理科學，也沒做得很好。

在戰後沒多久，美國對各國做了經濟援助，當然也在管理科學上進行協助。最近美國的作法被各國批評，但中國卻說不錯（笑）。美國作法的其中之一就是所謂管理的方法。問題是，在不改變中國的社會經濟結構與政治體制的情況下，有無辦法有效接受美國式的管理方法。我覺得在某方面還是有稍做調整的必要。

戴：誠如曹先生所說，中國是一個官僚制度非常發達的國家，但在另方面中國卻不相信蘇聯式的社會主義，進而厭惡蘇聯的官僚主義。毛澤東為了打破中國體質的官僚主義，而一直批判蘇聯的官僚主義。正因為如此，造成了這30年間忽視立法的情形。

今後的中國是否有辦法克服傳統的官僚制度，批判蘇聯的官僚制度，並有效地引進日本或美國的高效率制度且將其制度化，將社會主義式的民主主義與管理結合，也就是有助於所謂四個現代化呢？

傅：這是從日本某位經營者聽來的一種看法，還沒有工業化的國家的官僚制度，不可能十分理解效率的意義。要如何去用人，如何去做才有效率，這種生產性的概念，還是要從工業化中自然而然的產生。所以，中國的其中一個問題在於，工業化之前有了官僚制度，早在遙遠的古時候就存在。

戴：由於是以農業社會為背景的官僚制度，所以效率並沒有成為太大的問題。

曹：若是從社會發展的一般論來說，工業化、都市化與官僚化是同時進行的，而中國則是在工業化之前，都市化與官僚化先發達起來，這一點是中國的歷史特徵。

傅：這是因為中國有廣大的農民基礎，所以有發展出龐大官僚制度的可能性。與普通的開發中國家比起來，工業化之前的基礎實在太大了，所以這種傳統會非常的強。

還有，中國的知識階級與舊官僚制度的關係非常親近，或是說結合在一起。所以，為了實現現在的工業化，他們了解舊的想法已經不合時宜了，雖這樣想，但這只是原則，心裡其實還是都留存著老舊思想。我曾經與中國的知識階級見面談過，他們聲稱這種想法是不對的，但我總覺得他們的腦子裡卻還是存在此老舊思想。

批判蘇聯的時候我覺得更是複雜。雖然反蘇聯，中國仍是對共產黨的制度緊黏不放。因而原則上經濟是社會主義的經濟，但在那之下，則盡量將權限交給企業。我認為這樣還是會有許多問題糾葛在一起，就要看應該如何去分散權限。

曹：最近並沒有太多關於蘇聯的國內政策的批判。從這個角度來看，中國與蘇聯都採取類似的政策，中國唯一的批判就是，蘇聯太過於將權力集中化了，所以中國是像南斯拉夫、波蘭、匈牙利一樣，多少要將權力分散。

戴：就是地方分權，將部分的權限移讓給地方、個別企業。

曹：是的。而且根本的社會制度沒有太大的差別，所以不對修正主義與公營財政批判。儘管如此，問題卻在於，中國僅批判蘇聯的外交政策。可是，其雖認為外交政策是國內政策的延長，卻不談國內政策的問題，只說外交政策不好。

日本也有人注意到這種現象，似乎也在觀察今後的中蘇關係。

還有一點，從管理科學角度來看，我覺得蘇聯與美國其實並沒有太大的差別，倒是有中國傳統的管理制度，中國目前所使用的管理方式，並不怎麼成為反蘇聯管理政策的制度。

傅：我總覺得管理政策與意識形態並沒太大的關係。

曹：沒錯，就是這麼一回事。

傅：我在北京所感覺到的是，他們認為日本的管理制度非常好，比較起來的話或許比美國還要好，但日本是個封閉的國家，所以在日本學習是件困難的事，還是會想在美國學習。我與在北京日本大使館的朋友聊過，他們說中國人仍對日本十分有興趣，但留學生想去美國的意願勝過於日本。

戴：傅先生所講的是事實。美國是個開放的社會，大學入學條件也比較寬鬆，日本社會整體而言是個封閉的社會。中國人的中華思想——中華思想雖然並不都是負面思想——要說它哪裡不好的話，就是有其沙文主義。美國是Number One，日本是As Number One。美國是最大、最強的國家，所以他們認為美國的排名在日本之上。

另外一點，日本是最近戰爭中直接交手過的敵國。中國曾經說美國是美國帝國主義。雖然現在也會這麼說，但辛亥革命之後在各個資本主義國家中，美國算是比較同情中國的國家，所以對美國有親切感。但不管怎麼說，我覺得中國人還是認為美國是第一手，而日本則是第二手的感覺——以平均的印象來說。

傅：還有一些其他的因素。在中國人的心目中，日本人是有禮貌又很親切，但並不會對你敞開胸懷，真不清楚日本人到底在想什麼，所以有點難以信任他們，會有這種問題存在。

美國人則是天真、簡單而且單純的人（笑），馬上就會敞開胸懷，所以讓人產生可以信任感。因而與其說悠久的歷史，倒不如說剛才所說的感覺，是目前中國人的反應很強的感覺。

曹：麻省理工學院的呂琛・派松（音譯，ルセン・バイソン）是這樣說的，中國與美國雖然分處於東洋與西洋，但心理條件卻很相似。日本人雖然也是東洋人，但與中國人比起來卻又讓人感到他們的神經較為緊繃。他解釋為中國人在東洋中算是較有個人主義的，在這方面心理上較容易與美國人溝通。

中蘇社會主義的比較與中國政治的特徵

戴：不過，關於剛才所提的中蘇問題，歷史決議中對於毛澤東定位的敘述，算是仔細且公平。在此想請問一下：其對毛澤東的評價與赫魯雪夫對史達林的批判，不同處在哪裡？

曹：不同的部分還滿多的。史達林與毛澤東的作法在處置（處刑）政治上反對者的方式上有很大不同。當然中國也有過一些，但非常少。中國傾向於說服主義，蘇聯則不是。而且與赫魯雪夫對史達林全面的負面評價比起來，在六中全會中，有某種程度正面與負面的評價，這種妥協或許是中國特有的。

戴：六中全會決議的報導中，對於毛澤東的定位為「功績第一，錯誤第二」，將此視為以鄧小平為中心的改革派與左派妥協的產物，我認為這種看法是其一。其二則還是民族性、傳統性的中國人作法，要做出一定的明確定位。蘇聯是以近乎全面否定的型態來批判史達林，還用十分難聽的言詞來漫罵。與他們比起來，中國的作法在某方面來說算是公平，而此差異今後會帶來何種意義呢？

傅：我一直都不是從意識形態，而是從社會或組織面來思考。從這個角度來思考的話，鄧小平在某個程度上必須做一些妥協。所以在文化大革命時出頭的人現在也必須在各種單位妥協。還有，以目前的狀況來看，尚無法完全以一個單位來統一。

支持鄧小平者大多為有力人士，但之前的人還是都留著。我去年在廣東問起「文化大革命時支持四人幫的人現在怎麼了？」他們說沒有辦法回答。這是因為這些人還潛伏在地下。要是說得太明白的話，可能又會遭到迫害，所以不太方便回答。

曹：若是用別的角度來探討這個問題的話，他們在劉少奇與林彪等之後，花了約三十個月來恢復政治安定。然而在1976年，也就是毛澤東去世的那一年，雖然有周恩來等許多問題，包括目前的階段來看，儘管歷史的變化十分激烈，與問題的擴大性比起來，政治面則是在十個月左右便有了著落，這就是個特點吧？從這個角度來看，華國鋒可說是過渡期的領導者。

回首那段時期的事，不覺得1976年是非常複雜的一年嗎？周恩來死了，朱德死了；自然災害則有唐山大地震，在那段期間毛澤東也死了。毛澤東死亡所代表的意義是絕對統治者之死，在中國歷史上第一位長期掌權的人，其死亡所造成的影響可謂非比尋常。這件事在十個月後結束，看起來似乎有個著落，但其實在那之後的調整持續著。這還是他們有所妥協，為了對一般民眾表現他們對統一的信念與團結而讓調整的時間持續下去。雖然根據季辛吉所說，鄧小平好像是個非常急性子的人。

傅：鄧小平明確的戰略是緩緩而堂堂正正地，不讓鬥爭再度發生。

此外我認為重要的部分就是目前的戰略，要如何處理從延安時代已有的老黨員，盡量把顧問與行政分開。黨與行政的關聯也是有的，這很困難。所以關於政策，依我的觀察現在鄧小平的政策與戰略算是不錯，但目前並不容易實現，這就是結論。

戴：這次的決議與胡耀邦的演說我反覆讀了兩次以上，內容中的確有提到自我批判。黨以負責的態度，指出從文革以前黨中央就必須負責任，但就如傅先生所說，一般黨員的知識水準並不高，這些黨員讀這些文章與一般大眾如何去接受，也是一個問題吧。

曹：這只是推測而已，因為這個決議是個妥協的文章，中國一般大眾對於其意義並不清楚吧，特別是年輕人沒辦法理解，可以說是信念的危機，他們對政府愈來愈不關心了。

戴：應該是。現在的人反正就是要求提高日常的物質生活，能使物產豐盛，才會信賴黨和幹部。

曹：我想黨的指導者也了解這種情形。以往對一般國民是以喊口號的方式就行了，現在則是必須要生產才行，務實派的經濟論者不就正在做嗎？例如高價收購農產品來提高聲望，就是具體證據。雖然這會成為目前的財政問題，造成赤字、通貨膨脹，但在心知肚明的情況下做出這種舉動，我認為是因為黨的領導者心裡也明白，光喊口號已經無法滿足一般人了。

戴：的確如此。最先是恢復農民的自留地，並認可自由市場，生產也多少有讓自己決定的餘地；此外也會用高價收購農產品與副產品。據說這樣讓農村變得更有生氣了。這些情形，根據各種資訊或聽聽那些去了中國大陸的「華僑」說的話，就可以了解。

曹：根據最近來日本的孫尚清（社會科學院經濟研究所副所長）所說，1953到1979年間農業增加約2倍，輕工業約10倍，重工業增加約60倍，所以在某個程度上必須增加農業的比重來維持平衡。中國國民還是以農民占大多數，所以也可以當作提高聲望的政策，生活、農業、輕工業還是必須要與蘇聯的優先度有所不同，這就是中國所處的情況吧！

戴：這一次的兩份文獻與以往中國共產黨的文獻，都經常與政權成立之前的比較做為前提。雖然與蘇聯之間關係不好，但現在與美國和日本的關係良好，中國也以第三世界的一員自居，而且與ASEAN（東南亞國協）五國等比較，因此若不加入一些與國外比較的觀點來寫出具體自我批判的話，可能沒辦法讓民眾真正信服。

老是與以前比較，然後說我們多了這麼多成果，這是無傷大雅。但現在國外的資訊大量湧入，僅與台灣的經濟資訊相比也能發現自己慢了別人非常多，若光喊窮而不更具體地說在這方面與國外相比我們必須要這樣做的話，一般的民眾是沒有辦法感受到變化。

曹：讀了〈庚甲改革〉（香港雜誌《七十年代》1981年3月刊載），我覺得他們好像把大眾的信賴就是便宜的經濟建設方法的想法當作結論。

只要去觀察開發中國家的歷史，不難發現最大的問題是將國家開放之後資訊湧入，大家會傾向與別國比較，而不是與自己的歷史相比，所以會有很高的期待，相對也會非常不滿。雖然現在的中國國民與以前比起來好很多，但與他國相較之下又差很多，這樣的話不滿的情緒會愈積愈深。其實應該盡量去壓抑愈來愈高的期待，但辦不到。所以雖然開發中國家的經濟有所發展，但同時也會有革命或反革命等問題發生。小國都已經是這樣了，像中國般在百年前便有如一個世界大小的國家，封閉至今突然開放，發生一些混亂，然後採取現今的政策，居然能維持某種程度上的安定，我覺得到目前為止所看到的開發中國家裡面，老實說算是不錯的了。

戴：雖然有重重困難，但還是有一些希望的意思嗎？

曹：就是這個意思。

傅：期待他們的努力。

本文原刊於《日中経済協会会報》第99號，東京：日中経済協会，1981年10月，頁4～17

輯二

中日文化比較

日本文化面面觀

——外國人教師談立教大學座談會

◎ 李毓昭譯

時間：1981年

與會（按英文字母順序）：

可拉（A. L. Colla，立教大學文學部兼任講師）

艾迪格（F. Ediger，立教大學一般教育部講師）

洛松（R. C. Lawson，立教大學一般教育部講師）

麥卡錫（P. F. McCarthy，立教大學一般教育部助教授）

主持：戴國煇（立教大學文學部教授）

戴國煇（以下簡稱戴）：今天的座談會主題是「外國教師談立教」，我身兼《立教》雜誌的編輯委員，國籍是中國，雖然也是外國老師，但外國人並不都是白人，所以由我來主持。

和日本有非常深的緣分，其中一個原因是台灣曾是日本的殖民地。我在台灣長大，1955年來日本當留學生。隔年1956年進入東大，在東大待了十年，取得學位（農學博士）後，又進入亞洲經濟研究所，大約服務了十年。距今六年前，立教找我來任教，目前在文學部教授東洋史的近代與現代史。

和各位先生稍微不同的是，我曾在日本的大學以學生身分體驗過校園生活。各位是在外國成長，也在外國度過學生生活，不知是基於什麼原因對日本發生興趣，又如何與日本產生關係，希望各位能談一談實際的體驗和生活。

如各位所知，這份雜誌的讀者以學生的家長和家人為多，但我意外地聽說許多老師也會讀，所以希望各位能夠盡量提出嚴厲的意見。

首先要請教艾迪格先生，您在日本已經待了28年，請談談您與日本的機緣，又為什麼來日本以後會到立教大學教書，同時順便自我介紹。

為什麼會在立教工作？

艾迪格：我大學畢業後，進入芝加哥的神學院，在芝加哥住了三年。那是比較南部的地帶，附近有一個地區稱為Witch way Park，住了許多日本人。我的牙醫是日本人，朋友圈中也有日本人，因此我非常喜歡日本人，很想學一點日本的東西，就開始了解日本的歷史和文化。我本來就屬於門諾教派（Mennonite）教會，聽說有到日本工作的機會，就提出申請，而得到許可。

我先是在神戶念了二年日語學校，然後在宮崎縣當四年牧師。接著來到東京，在東京一邊傳教，一邊自給自足，也就是要靠自己工作來維持生活，但也從事教會的工作。身為外國人，很快就有人找我教英文，就這樣有了在明治學院大學、東京

YWCA、麗澤大學和立教任教的機會。我是在1967年來到立教，在六年前成為專任。

戴：接著請洛松老師發言。

洛松：我就讀紐約高中時，學校有開日文課，我有興趣就去選讀。接著進入康乃爾大學，覺得念錯學校了（笑），就去改念密西根大學，在那裡學了日語、日本歷史和文化。戰後我來到東洋，在韓國住了一年半，然後回美國，去哥倫比亞大學，因為還沒有拿到執照，就繼續待著學了一點中文。後來又來到日本和韓國，在日本結婚，已經快要三十年了。我會在日本待這麼久就是這個原因。

戴：夫人是日本人嗎？

洛松：是的。

戴：您是什麼時候來立教的？

洛松：那是在14年前，因為庫洛先生的介紹，而以兼任的身分教了六年，八年前才變成專任。之前還在東洋女子短期大學教了將近二十年，學習院也教了五年。

戴：現在還研究歷史嗎？

洛松：沒辦法，現在熱中於英文（笑）。

戴：接著請可拉先生發言。

可拉：我開始學日語是在巴黎第三大學，而來日本是因為獲得日本的獎學金。我在立教體驗過一年半的留學生生活。

戴：您是以日本文部省的獎學金來日本專攻日本文學？

可拉：是的。

戴：您上的是誰的研習課？

可拉：那時學的是俳諧，指導教授是白石先生。一年後我就離開日本，然後又回立教教法文。這時研究領域有點改變了，學了三年俳諧之後，我對佛教產生興趣。到目前為止，我已在日本待了五年，教書時間有三年。

戴：您教的是法文？

可拉：是的。

戴：現在請麥卡錫先生發言。

麥卡錫：我以前念明尼蘇達大學，起先主修英文學，選修的外語是日文。我在三年級就來到日本，在國際基督教大學留學一年。回去之後，我拿到明尼蘇達大學的文學士學位，去耶魯大學念了一年。和洛松先生一樣，我也覺得念耶魯是錯的，而在隔年改去念哈佛，在哈佛拿到日本文學、日本文化史的碩士和博士學位。

在那段期間，我經常會來日本。這次是第四次，每次都來一年，所以總共待了差不多四年了。我在研究所時代研究日本近代現代文學，尤其是三島由紀夫和谷崎潤一郎的文學。現在我和可拉先生一樣，很奇妙的對佛教或佛教文學、日本文化和佛教、日本文化和宗教之間的關係產生興趣，而不再是純文學。以後如果要繼續研究，應該會往這個方向發展。

去年我獲得日美教育委員會的獎學金來日本，剛好聽說立教大學有教員的缺，就提出申請，想要改變慣例在日本待久一點，四、五年或十年都可以。我很幸運獲得職位，剛從7月1日變成專任，因此我是新人，資歷最淺，什麼都不懂⋯⋯。

日本人的真心話和表面話很難理解

戴：艾迪格先生，您是在芝加哥接觸日本人僑居地時，對日本產生興趣，請您再談一談來日本之後，對日本的印象與在美國最大的不同，還有唯獨日本或日本人才會有的事情，請各說出一件來。

艾迪格：雖然很多……我感覺到的差異是日本人的真心話和表面話。我的名字是費迪南・艾迪格，中間沒有名字，但常有人叫我法蘭克。法蘭克是「率直」的意思，我生性率直，總是想到什麼就說什麼，想把心都掏出來給人家看。所以客氣對我來說是很大的課題。如果要我說出一件事，就是這一點讓我感覺到差異。

戴：這麼說，主要是生活態度的差異。在美國或加拿大生活時，可以保持率直，但是在日本時，要有點委婉才能與人融洽相處。

艾迪格：有時候不能說出真正的理由。

戴：從這方面來說，好壞姑且不論，就是一方面對日本文化感到吃驚，一方面也要去摸索怎麼適應。

艾迪格：是的，對我來說那是個重要課題。

戴：您在芝加哥時碰到的是日裔美國人，他們與您在最先工作的地點神戶和之後的宮崎接觸的日本人有什麼不同嗎？

艾迪格：以前只是認識而已，沒有實際深入他們的社會，所以在那邊沒有這種感覺。我是來立教之後才感覺到的。

戴：當然您是愈來愈喜歡日本，才會待了28年吧。

艾迪格：是的，一直捨不得離開（笑）。

戴：洛松先生的太太是日本人，帶著日本夫人和日本人接觸時，與夫妻同是美國人或法國人接觸到日本社會和文化時，有什麼不同嗎？

洛松：我想是不同的。我生性膽小、害羞，正適合在日本生活，所以美國並不適合我（笑）。

戴：您是什麼時候發覺這一點的？

洛松：從小就有這種感覺。所以因為和日本很契合，和日本太太也很融洽。

戴：那您對艾迪格先生所說的，有真心話和表面話的文化很能適應了……。

洛松：感覺適應得很好（笑）。

戴：您有小孩嗎？

洛松：沒有，我覺得最好不要有。在日本社會可能適應不好。

戴：您想必有很多經驗，覺得日本社會最讓您驚訝的事是什麼？剛從美國來的時候有文化震撼嗎？

洛松：第一個是絕對不要跟太太開玩笑。要是開起美國式的玩笑，結果會很慘。

戴：她會當真。

洛松：沒錯。真的很慘。我只是開開沒有惡意的玩笑，她就生起氣來和我吵架，我從此決定在家裡盡量不要開玩笑，要開玩笑就在學校跟艾迪格先生說（笑）。

戴：這是為什麼呢？您太太成長的文化背景是日本文化，洛松先生則是美國文化，那邊的幽默不見得能讓太太了解。反過來的情況呢？如果太太說了什麼，您會生氣嗎？

洛松：我不會生氣。

戴：是不是因為您很努力在學習日本的文化和歷史？

洛松：也許是。我太太不大會開玩笑。可能是我輸給她了……（笑）

戴：可拉先生，一般人認為，法國人和中國人很像，對自己國家的文化很執著，以您的觀點來看日本的文化或社會時，什麼地方會讓您感到詫異或高興，或是有什麼地方不能接受？

可拉：到目前為止，我覺得完全沒有問題。早在很久以前，我對日本和日本社會就不覺得有什麼問題，不會反感或冷漠。所以兩個星期前，有一個老朋友從法國來，我帶他走在東京街上時，透過他的眼光，我重新發現自己最初的感受，所以我可以借用他的話來回答您。不過我自己並沒有任何不習慣的感覺。

我這個朋友看到日本群眾悠閒的樣子，覺得很吃驚。悠閒可能不是很好的話，可是用法語說是decontación，也就是contación的相反，安靜而不敵對的態度，這非常重要。如果是在法國，有同樣多的群眾聚集時，彼此會立刻顯現敵意。日本沒有敵意，令我朋友很驚訝。那是在星期六晚上澀谷忠犬八公的十字路口附近，我朋友不時停下來稍張開雙手說：「這是日本的群眾嗎？讓人很放心，也很吃驚。」

戴：可拉先生，我要談談自己粗淺的經驗，前幾天我和日本某個雜誌編輯一起吃飯。那時提到法國人，那個編輯知道我是中國人，就對我說：「法國人和中國人很合得來，也和中國人一樣驕傲自大。」他的意思是，法國人想要研究東方時，都會去北京，絕對不會來東京。這是真的嗎？

可拉：在某種程度上，在亞洲民族中，法國人最尊敬的是中國人，兩者的共通點是對自己的文化都很自負（笑）。而且中國和法國有相似的地方，中國人和法國人有共通的思考模式，所以我會覺得法國人是與日本人有點距離的人種。

戴：這麼說，他的想法沒有錯。

可拉：是的，法國人有那種態度是很常見的。

戴：麥卡錫先生是單身，對日本的社會和文化有什麼看法？

麥卡錫：美國社會確實是夫妻同行的世界，而在日本，譬如與日本的大學同事來往時，不會有太太夾在裡面，因此不結婚的單身者也能夠看到日本社會的許多層面，就這方面來說不太會吃虧。但如果單身的人去美國，就會因為進不去美國的家庭，而很難了解美國社會的性質、美國人的精神。

戴：主要是沒有管道。

麥卡錫：沒有管道，因為一定要夫妻一起交往，而且美國人會請客人到家裡來，像我這種不會做菜、也不會打掃的單身漢，非常格格不入。所以就這方面來說，我和洛松先生一樣，比較適合日本社會。朋友會請我出去，我也可以在咖啡廳或餐廳回請。感覺不論是已婚還是未婚，日本式的交際很容易，也很簡便。

日本人與信仰

戴：麥卡錫先生剛才自我介紹時說的話非常有意思，您說以前研究的日本文學是以三島由紀夫和谷崎潤一郎為主，這兩人對麥卡錫先生來說有什麼關聯呢？

麥卡錫：與其說是關聯，不如說是呈現很大的對比，我才會想要研究。舉例來說，要將日本的近代、現代文學分類時，這兩人雖然都會被列入耽美派或耽美主義的類別，但撇開這一點不談，他們的性質卻有很大的不同。簡單說來，谷崎潤一郎如同各位所知道的，或許是出於女性崇拜，會從許多角度去描寫女性，譬如作為母愛對象的女性，或是惡女式的，好像從江戶幕末的歌舞伎中跑出來的不正當的女性，描繪的世界幾乎都是以女性為主。在日本的歷史中，谷崎先生大概最愛平安朝吧。說到女性文化，可說就是平安朝。而相對的，三島由紀夫重視武士道傳統、文武、足利時代、戰國時代、江戶時代的文化，想以男性為主構築文學。因此，不論是時代、性別還是精神上，兩人都呈現出很大的對比。

戴：就這方面來說，您如何解釋三島先生的死法呢？

麥卡錫：很難用三言兩語來說明……。

戴：當時國際上有各種說法，其中之一是日本的軍國主義復活。

麥卡錫：雖然有這種說法，但是三島先生訴求的對象是年輕士兵或自衛隊的人，他們幾乎都沒有呼應。同時日本的政治人物也沒有認真去聽三島先生的言論，因此我認為那與其說是日本軍國主義、日本主義之類的復甦，還不如說是為了完成三島這個人做為藝術家或文學而採取的最適合的死法。

戴：您的解釋是，他以該形式來充分燃燒自己的生命力嗎？

麥卡錫：不是嗎？我認為那麼做很像他的作風。

戴：這麼說，麥卡錫先生對日本文化和宗教產生興趣，與三島先生接近完全燃燒的死法有關？

麥卡錫：我與宗教的關係不可能直接從三島先生的自殺產生，那是早在大學時代就有的。當時我一直在猶豫不知道要選日本文學還是佛教，因此不能說是從三島先生的自殺產生的，但不論是谷崎文學還是三島文學，裡面都多少隱含著佛學要素，尤其是三島先生的《豐饒之海》〔《豊饒の海》〕，裡面就含有輪迴和唯識論與「空」的概念，所以還是脫不了關係。

戴：可拉先生又是為什麼從俳諧轉換到佛教呢？

可拉：我覺得日本的特徵在於「佛教」。如果問日本人，他們都會回答「沒有宗教」。也常有人說「我對神道或佛教沒有興趣」。可是，佛教無所不在，潛藏在每個地方。譬如，剛才提到的谷崎和三島等人物的心中，當然也有佛教。而一般人的心裡面，即使沒有自覺，也有佛教存在。因此我會從俳諧移到佛教也很自然，並不是轉換。尤其是俳諧也深受佛教影響，我想除了俳諧，其他領域也含有佛教。

戴：艾迪格先生也從事傳教的工作，您站在牧師的立場，聽到剛才兩位先生的談話，對日本人的宗教生活，有特別留意到什麼嗎？

艾迪格：如同剛才可拉先生說的，一般日本人被問到「你的信仰是什麼？」都會回答：「我沒有信仰。」可是再深入了解，就會覺得，他們在很多方面還是深受宗教的影響，尤其是遇到有人出生或死亡，以及相信盂蘭盆節時祖先的靈魂會回家，都看得出來信仰還在日本人的心中。

戴：洛松先生，您覺得可以這麼說嗎？近代的思想，例如產業革命、近代科學和技術等，是以歐美為主擴大到整個世界。宗教也是附帶地以歐美為主，也就是以基督教為中心。但實際上歐洲或歐美宗教的想法或概念，並不能套用在中國人或日本人的生活上。與歐美人以基督教為主的宗教生活相比，中國人和日本人雖然看起來不像有宗教信仰，但現實生活中，還是有自己的宗教生活。您認為這樣子說得通嗎？

洛松：因為心裡面有宿命的宗教滲入，所以不太會受到歐洲宗教的影響。我感覺日本人說沒有信仰只是在表面上，心裡面還是有靈異之類的東西，遇到什麼事就非要去神社不可，所以日本人都會隨身帶著護身符，車子上也一定會有。雖然口口聲聲說沒有宗教，還是會相信那種東西。

戴：譬如蓋房子時一定要做祓禊，如果沒有信仰就不會這麼做了，因為非常花錢。

洛松：（拿出護身符）一定會帶著這個。

麥卡錫：那是錢洗弁天吧。

戴：這不是和洛松先生的宗教衝突嗎？

洛松：沒關係，這是學生送的。

戴：拿到以後，有因此變成富翁嗎？

洛松：沒有耶（笑）。可是我就是在那時候進來立教的，也是好事一樁。

對立教大學的印象

戴：接著要談的話題是在立教的生活，譬如立教的校園、對學生或對整個立教大學的想法，或是他們對外國老師的態度、待遇等，請不要顧忌，盡量提出您們的想法。想談這個話題是因為我是中國人，在日本生活了26年。我在台灣，從小學到初中二年級都是受日本的殖民地教育，受日本很大的影響。但因為我是中國人，對日本又有不同的看法。一般來說，日本人多半善良，但有些事不說的話，許多人不會知道。雖然有些地方要像艾迪格先生說的，最好不要說得太清楚，但這次期待說出來會比較好。希望各位能提出有助益的意見。

首先，艾迪格先生從兼任變成專任以後，有什麼地方覺得不一樣嗎？

艾迪格：我還是兼任時，主要是教七個班，其他時間是自由的，但變成專任以後，感覺責任愈來愈重。認識的學生變多之後，找我幫忙的事也變多了。所以今年可以說是我最忙碌的一年。

戴：從所有立教的學生來看，用功的情況怎麼樣？您在別的學校教過，請坦率說出看法。

艾迪格：近來學生好像比較用功了。這是和以前相較之後的感覺。尤其這四、五年來找工作變得比較難，感覺他們較用功了。至於用功讀書的比例，雖然很難衡量，但認真學英文的人差不多有一成，其他九成好像只要拿到學分就好。

戴：以性別來說，這一成的人是男生還是女生比較多？

艾迪格：女生。有些女生非常棒。男生不擅長——也許不要這樣說，但英文非常棒的女生非常多。

戴：洛松先生覺得如何呢？

洛松：我覺得很會說英文的女生確實很多，但真正變優秀的是男生。男生因為日後的工作用得上，關係到生活問題，一方面也會想趁著就學期間去外國看看，對自己有幫助，所以近來變得很熱中。我想可以利用這種心理，勸他們多用功。

戴：麥卡錫先生的看法呢？

麥卡錫：大致上和艾迪格先生一樣，不過我還覺得一個班的人數太多了。像新生的英文課，差不多有60 人。

戴：您的希望是20人左右嗎？

麥卡錫：是的，二、三十人是最合適的。五、六十人裡面，就像艾迪格先生說的，差不多有一成的學生真的很用功，也學得很好，也可能有兩成（笑），其他的人就普普通通。有些人會曠課，這是無可奈何的。一年級才剛擺脫高中為考試念書的壓力，好不容易進到立教可以放輕鬆了，所以這段時期是最快樂的，但他們也是最難教的學生。我的經驗和艾迪格先生差不多。

戴：可拉先生，選法文為第一外語的學生呢？

可拉：來上課的人裡面，會主動發言的人很少。這與日本人的個性有關。和許多國家的人相比，日本人確實比較膽小。

戴：與其說是膽小，不如說是害羞吧。

可拉：對，學生們不太會展現自己的知識。因此，真正會講的人很少。女生擅長的是作文，會話是男生比較好，但兩方面的人數都不多。

日本學生缺乏積極性

麥卡錫：有一點我忘記說了，這比班級人數或用功的人占多少比例重要。我曾在美國教書八年，比較美國和日本的學生時，最大的差別是在教室面的積極性。日本學生不太會主動發問，就算老師問學生有誰會回答，也不太會舉手，我想那是因為害羞或客氣的關係。從東方的道德來看，這是很大的美德、很美的行為，但是從學習語言的層面來看，卻是最差勁的（笑），因為學語言就是要積極表達。

我就遇到過這樣的事。我教了三個月，就只生過那麼一次氣。那個讓我發火的學生也很可憐。原因是我問他問題，他卻不回答，完全不吭聲。

戴：女生還是男生？

麥卡錫：男生。如果是女生，我會比較溫柔（笑）。因為是高大的男生，所以我更生氣。我的問題特別簡單，他卻完全不講話。就算我問：「哪裡不懂？」他也不回答，我才會生氣。後來我對他和全班說：「對我這種外國老師最不應該有的行為就是沉默。能夠答對是最好的，其次是答錯，而第三種是『對不起，我上課之前沒有準備。』你們至少要回答『我聽不懂』。沉默算什麼呢，怎麼可以在我發問時不講話。」就西方人的積極和東方人的消極來說，這是非常極端的情況。

戴：這個學生後來有什麼反應嗎？

麥卡錫：我向他說明為什麼我會生氣。我說：「希望你在我問問題時能回答，至少也要回答『我聽不懂，因為沒有準備』，不能完全不說話。」他的回應是：「知道了。」

戴：後來有認真上課嗎？

麥卡錫：有來上課，比以前用功了。

戴：那就好。

麥卡錫：好不好是其次，我後來覺得好累。

戴：您這個人真好。

麥卡錫：那個學生是比較用功了，所以就我粗淺的經驗來說，我覺得對日本學生要用比對美國學生更嚴厲的態度。像朋友一樣太友善的態度是不行的，以日語來說，老師要像老師，不擺出堅決的態度是不行的。

戴：三位加拿大和美國來的老師剛才談了教英文的事。現代是所謂國際化的時代，出國旅行的機會很多，在工作上大家也會覺得用得到英文，但是用法文的機會就比較少，除非去法國，否則很難用到。以前有一段時期，在外務省裡面，法文是外交界使用的第一外語，但是現在已經不是了。選修法文的人多半對法國文化和文學有興趣，但還是像麥卡錫先生說的，日本民族、日本學生的害羞會造成阻礙。可拉先生，在這方面如果有什麼批評，請儘管說。

可拉：舉例來說，我曾買過幾本給老師用的法語會話書，但課堂上的氣氛就是不一樣，在日本沒辦法用。如果是歐洲國家，很快就會炒熱會話班的氣氛，老師還要維持課堂秩序，跟學生講：「安靜，安靜，輪流來。」日本課堂上則是一片沉默（笑），不需要這麼做。雖然教會話非常困難，但反過來說，有時候也會很有成就感，很有趣。

日本的外語教育應該改善嗎？

戴：艾迪格先生、洛松先生和麥卡錫先生應該都注意到了，日本在這四、五年開始檢討英文教育，這部分有很多批評，各位先生覺得有什麼必須檢討或批評的嗎？

艾迪格：我不知道您說的批評是什麼，我今天早上接受琦玉縣教育中心的邀請，去那邊演講、討論。我聽說文部省要減少老師人數，也要減班，學生學文法的機會將會減少，原因是以前教太多了。是這樣嗎？

戴：那些批評有兩方面。其中一個是從明治維新到現在，英文都是以閱讀為主，幾乎不教口語表達，聽力也不行，從國中一年級到大學，總共學了十年英文，最後還是沒辦法用。對所有學生來說，小孩課業負擔太重，應該要減輕一點。

另一個是出自內部或文部省自身的檢討，認為老師應該要重新教育，否則無法斬斷惡性循環。這要怎麼做的意思。我所學不是語言學，只是從媒體那裡得到這些印象，各位在這方面有什麼看法嗎？

外語教育要從會說開始

艾迪格：今天早上聽到高中老師的談話，他們都覺得很遺憾，也認為以後必須努力，才能讓學生說得出英語。我也有同感。把英語會話交給會話補習班去教是不對的。不論是大學、高中還是國中，都有很重的責任。即使減少文法科目，也要在會話上著力。人應該要先學會說話，才開始書寫和研究，這樣才自然。

戴：說到人的生活和語言的關係，一定是先會說和聽，可是日本是為了考試而先學文法。

艾迪格：這是不對的。這樣子在現代社會會跟不上世界潮流。

戴：洛松先生有什麼意見嗎？

洛松：我的想法一樣，要先學會說，學習要從說出口開始。

戴：可是很有趣的，剛才麥卡錫先生和可拉先生都說過，沉默是日本人的特質、社會規範或生活的節奏。要在這種情況下施行外語教育，就不只是增加會話課或增加時數的問題，而也是文化上的問題。本來學語言就是要說出來，不怕丟臉地用身體去學。在考慮語言要怎麼教之前，可能要連同日本民族、日本人的生活與想法一起去重新思考。但牽涉到這一點，問題就棘手了。

麥卡錫：很複雜。

戴：舉個例子來說，我有幾個美國朋友，討論事情時都會明確地說出想法，直言不諱。但如果是日本人，就會像艾迪格先生所說的，講得太白會尷尬，事後也有可能會嘗到教訓，不知道要如何是好。可是學語言就是要不怕丟臉，克服羞恥心，沒其他辦法。就整個社會來說，這方面要改變是很困難的。

洛松：不知道各位有沒有在補習班教過課，我待過横濱一所補習班，那裡的小孩很會吵，上課時嘰哩呱啦的，如果能多少營造出這種氣氛，學生就不會覺得丟臉了。

麥卡錫：這種氣氛是可以營造的。像剛才講到的活潑新鮮人，就常常會開玩笑。我班上有個學生很愛遲到，我就教其他學生重複說You are late，並說，下次又有人遲到時，如果我比這個手勢，大家就要一起說You are late（笑）。過了十分鐘，又有遲到的學生進來，想要偷偷坐上最後面的位子，我就稍微一比，大家就大叫You are late（笑），氣氛很熱烈。

洛松：營造這種氣氛很重要。

戴：我在東京大學念研究所時，因為是台灣來的，中國人是比較有主見。雖然和日本人一樣是東方人，但比較有個人主義，樂於表現自己。起初上專題討論課時，日本學生都默不作聲，讓我覺得很煩。剛來時日語會說錯，現在已經可以應付裕如。但剛到日本時，電話響的時候，我竟然照著英文的說法，把This is Mr. Tai speaking用日語說成「我是戴先生」，加了尊稱，事後也覺得怪怪的，很惶恐。可是多說之後，就慢慢說順口了。總而言之，日本的研究所學生真的很安靜，這或許就是日本社會的一種模式。

麥卡錫：會不會是討厭英文的關係？國中和高中都被強迫念英文，而對英文產生反感？（笑）

戴：現在日本的生活水準提高，富裕且從容。有人認為去美國或法國home stay沒什麼意義，我反而覺得很好，因為譬如在美國人的家庭住一個月之後，心理上的恐懼感會逐漸消失。去法國看到比自己窮的法國人也講法語，去美國看到比自己窮的美國人也說美式英語，心情就可以放鬆了。東方人有「說英語和法語的人都是高人一等的富人」這種自卑感，成為心理負擔，語言才會一直學不好。

有件事我覺得很有趣，以前曾經和同事出國，那個人是專科畢業以圖書館員進來的，對英語一點自信也沒有。如果我在旁邊，譬如通關時，都是我負責說話。有一天我故意丟下他一個人不管，然後遠遠看著他，想等他有問題時才過去幫忙。可是就算我不在，他還是可以勉強與人溝通。後來我對他說：「話怎麼說都可以，講得不好沒關係，可以溝通就行了。就算文法不對，只要對方聽得懂就好。你又不是英文老師，對方也不懂日語，何必在意不懂英語呢，能溝通就行了。」

去外國home stay時，與其說是學習語言，不如說是去過美國人、英國人、法國人的現實生活，在他們的家裡淋浴、一起吃飯，而體會到原來英國人、美國人、法國人和自己一樣都是人，慢慢去除心理障礙，這樣子不是很好嗎？我覺得最好在高中或國中時就去外國看看。各位覺得呢？

艾迪格：接觸到一種文化，就會產生變化。要是沒有發生變化，就無法敞開心胸去學英語。

戴：會一接觸就害怕。

艾迪格：這和學外語有很大的關係。舉例來說，有個學生去年加入我的重修班。他一年級時被當，所以要重修，雖然努力了，卻沒有學好英文的動機。可是他去參加菲律賓的立教營時，儘管很努力說英語，卻說不出來，聽到有人要和他說話時也很頭痛，又因在當地遇到漂亮的女孩子，於是回國後就有了要把英語學好的動機，決定下工夫去學。他的變化是從那個經驗來的，光是做研究並不會有機會接觸文化。

戴：剛才艾迪格先生的意思是要接觸異文化才會產生新的東

西。像麥卡錫先生和可拉先生也是一樣，會對佛教產生興趣是因為佛教與各位的文化或宗教生活形成很大的對比，也就是自然、歷史條件和文化非常不同，而對歐美為主的歐洲文化背景、思考模式所沒有的東西產生興趣，而且想要從興趣中抓到什麼新的東西，是吧？

麥卡錫：我從高中就產生興趣，而開始關心日本。

戴：從日本人的學習方式可以知道，他們是在內斂、沉默中學習，而不公開挑戰。不是去碰觸異文化，藉著挑戰來創造出什麼，而是從歐洲、中國或美國那邊學習。但是如同艾迪格先生所說的，只是這樣很難產生新的東西。洛松先生的看法呢？

洛松：也許必須先讓學生對某種東西產生興趣。如果是對音樂有興趣，就要去利用音樂，或是讓他們藉著現代舞、講單口相聲來學習英文。沒有動機的話，學習就沒有意義。

對立教的要求或期待

戴：現在我們要進入最後一個話題，請各位簡單談談對立教大學或立教大學的學生有什麼要求或期待。譬如希望立教的學生這麼做，或立教大學要營造什麼樣的環境，請坦白說出意見。

可拉：剛才提到異文化的對立，我想說的是，不必是異文化也沒關係，只要產生對人的好奇心，不必牽扯到文化或文明，簡單從人際關係切入就可以了。

戴：總之就是要對身邊的事情產生興趣，抱著好奇心去學習，至於異文化的接觸可以以後再說。

可拉：對，問題並非人類學上的，而是簡單的人的問題。

戴：可是大學的入學考試相當嚴格，就算真的學了法語或英語會話，對大學入學考試有幫助嗎？正因為很難有幫助，問題才會這麼困難。您們覺得呢？麥卡錫先生在美國有八年的教書經驗，您覺得美國的大學和日本的制度有什麼不同？

麥卡錫：如您所知，美國和日本完全相反。美國高中大致上是半念書半玩樂，除非有心要念一流大學，否則要進普通的州立大學都沒有問題。但是進去之後，沒有好好念書就會被當，畢不了業。因此高中的感覺很輕鬆，進到大學才開始用功。日本就相反了，因為有大學的入學考試，高中時非常緊張。好不容易才能進大學，而一旦畢業進入社會，就要成為備受束縛的上班族，所以要在這四年參加社團活動、交朋友，當然也要學習很多東西，感覺特別輕鬆。這雖然有優點，但就像各位所說的，無法集中精神學習語言。我希望想學好英文的學生能在教室裡積極一點，不要怕丟臉，自己主動發言，努力去學。

戴：剛才您說一班有五、六十人，實在太多了。

麥卡錫：是的，這是語言學的常識。可是這牽涉到經濟問題，學生人數多，老師人數少，目前的情況是在所難免，但我認為最理想的人數是二、三十人。不過最重要的一點是，就算一個班有很多人，如果學生能夠積極主動地學習，還是能夠學好。

設計能使英文進步的課程

洛松：我覺得要為很想學好英文的人設計一套金字塔式的課

程，只要達到水準就可以不斷晉級。現在各種程度的人都在同一班，這雖然是無可奈何的事，但為了真正想把英文學好的學生，就要設計能夠讓他們學得好的專門課程。

戴：在中間要用考試來轉班。

洛松：是的。現在立教不是有選修的「口語英語」嗎？這種班特別糟糕。我那邊有130個學生，90分鐘要教130個學生，另外10分鐘是「立教時間」，相當吃力。教務處或什麼單位最好能限制人數。

艾迪格：我贊成設立菁英專門課程。也希望學生能夠把一、二年級當成學習的良機。四年級空閒的時間特別多，所以有很多人會選「口語英語」，好像覺得快畢業了，這是最後的機會。他們都有這種傾向。

戴：快要畢業了，才開始心慌……。

艾迪格：對。所以中午與下課後，我也努力去幫助學生。真希望他們能在一年級時就好好利用機會。我們雖然也很努力，但也希望學生多把握機會。

戴：前面是與各位先生在立教大學教授語言有關，現在要談最後的話題了。一般日本人自認「日本人沒有學語言的天分」，這應該不是我的誤解。在我看來，這世界上沒有哪一個民族特別具有語言天分或缺乏語言天分，各位專家的看法呢？

洛松：絕對沒有這回事。

麥卡錫：當然說不上哪一種民族特別有或沒有天分，這是態度的問題。

戴：總之，只要願意學就能學好。可是這裡有個因素，就是日本較少不同的民族，因為沒有和不同民族接觸，所以他們以為自己不擅長語言。像我就經常聽到別人說，因為我是中國人，所以有語言天分。可是也有很多中國人只會說彆腳的英語或日語。語言是個人的才能和努力的結果，而不是民族性如何的問題。

洛松：我還要指出一點，就是立教最好能有更牢靠的國際化措施。

戴：還不夠嗎？

洛松：是的。

戴：洛松先生的意見很重要。立教大學是以傳統來說是聖公會所建立的大學，希望這個學校能變得更國際化，也更開放。這個共通的願望是我們要補充的。不過，整個學校已經慢慢形成這種風氣了，立教大學慢慢變好，日本社會也在慢慢轉好，對您們歐美人還不錯，只是對亞洲人還有待改善。這個問題就留到以後再談了，今天的座談會就到這裡結束吧。非常感謝各位。

本文原刊於《立教》第99號，東京：立教大学，1981年11月（秋季號），頁2～17

中國東南亞政策之變遷
——從九三〇事件至中越戰爭

◎ 蔣智揚譯

九三〇事件與中國

編輯部：本月號以「1980年代的亞洲與日本」之主題編成特輯號，此次採訪想要追尋中國對亞洲觀、政策的變遷。

姑且做為出發點，首先想從1965年印尼的九三〇事件開始來觀察。據說曾擔任蘇卡諾體制之一翼的PKI（印尼共產黨）所引起政變是此事件的開端，結果PKI最後潰散殆盡。關於這事件，中國究竟做了什麼樣的總結？在中國以後對亞洲政策上留下了什麼？首先想請教戴先生的想法。

戴國煇（以下簡稱戴）：我不知道中共當局如何為九三〇事件做總結。我個人沒有聽過中共那邊存有與事件相關的公開資料。不過，我想其所具有的意義就是，九三〇事件成為中共當局與東南亞關係的一個轉機。

所以首先我想這樣來思考。有一點就是九三〇事件究竟是什麼？其具體內容已有各種記載，過程也頗為大眾所知，但究竟後世的史家會如何評論該事件，我還不十分明確。有人說日本的珍珠港攻擊是羅斯福的「陰謀」，提起這樣的問題是滿有趣的。若以這種類比法推理的話，九三〇事件也有甚多不明的因素。

我想起蘇卡諾所說九三〇事件的三個原因。第一，PKI領導階層陷入了圈套；第二，帝國主義與新、舊民族主義者的陰謀在此出現；第三，可能是蘇卡諾的自我批判，鬆懈了民族的警戒心。關於PKI的領導者陷入了圈套之說法，由於印尼的國內情勢及PKI的關係、或蘇卡諾體制的關係，與當時美國或蘇聯在印尼及其他東南亞一帶的諸活動之關聯，我認為蘇卡諾在借題發出不平之鳴。雖有各種傳說，但如今誰都無法加以明確化。這麼說是因為雖然蘇卡諾體制崩潰後，蘇哈托體制不穩定，但是至今大體上還是維持著高度經濟成長政策。除非蘇哈托體制崩潰，或是經過更長的時間，出現總結的資料，或是新時代的來臨可讓內部的人自由寫出，否則真相不能大白吧。

只是，就我們今天的主題而言，在1965年4月也發生了奇怪的事件。那是什麼呢？就是阿爾及利亞的政變及本・貝拉（Ahmed Ben Bella）之放逐。然後隨之造成第二次亞非連帶會議無法舉辦。就是這事件，真的也是不可思議之事。究竟是誰放逐本・貝拉？誰是政變的首腦？凡此種種也是國際的大事件，卻沒有出現條理井然的答案。唯一的結果可說，很明顯地北京、雅加達的樞軸與本・貝拉所連結的陣線崩潰了，蘇聯滲透進第三世界，某程度上成功地扭轉了頹勢。

所以合併當時印尼的狀況與中南半島的解放鬥爭來觀察，對於美國，要如何做掉PKI是重大的課題。另一方面對於蘇聯的課題是，希望PKI轉為支持蘇聯，當然蘇聯不至於考慮要做掉PKI。但是曾經想要創造出會聽從莫斯科的指揮部，也就是想要換掉當時的PKI領導者艾地（D. N. Aidit）。事實上，聽說1965年年初，米高揚訪問印尼而警告了Aidit。綜觀這些事情，蘇卡諾的言外之意是指此事。我認為因為蘇卡諾是反美，所說的新、舊殖民主義當然是指美國，同時對蘇聯，可說也是對匈牙利事件以後一連串動作的一個婉轉說法。所以我不能接受PKI完全沒有責任的這種說法。我相信正如蘇卡諾所說，PKI是巧妙地被陷入圈套，問題在於其中劇本是誰寫的？是一人寫的？或是由於偶然的巧合而使事情如此悲慘地進行呢？這一點我不明白。只是，此九三〇事件對中國與東南亞，尤其與印尼的關係，甚至在一般情勢上帶來了大轉變，這是事實吧。

九三〇事件的「教訓」

話題稍微偏離主題了。此事件的反彈，中國的文革究竟是否與此有關，又是一個有趣的問題。關於這一些也總覺得不清不楚。也就是說，從中國國內的狀況說明文革比較容易了解。但是要如何以文革與對外、國際關係之牽連說明，並不是很簡單。蘇聯與美國之間並沒有什麼聯合、同盟，但總是以某種聯合的形式包圍中國，而且要將它逼入困境，我可以看出當時好像有那樣的狀況。中國要如何打破此窘境呢？當時的中國剩下的出口之一為印尼，另一為越南。但若不慎而深陷越戰，則接著可能輪到中國自己被美國攻打，中國方面有這種恐懼吧，對於這方面鏗鏘有力的討價還價，其實說是懂又不懂比較妥當吧。在中蘇對立、九三〇事件、文革發生前之狀況下，蘇聯要把中國趕入越戰的泥淖，使中美交戰而獲「漁翁之利」，看看其後蘇聯一連串的行動，大概可以領悟到這種意圖。

回到本題，有一件事可以清楚地說，由於九三〇事件，蘇卡諾體制崩潰，中國在東南亞的唯一「出口」已被堵塞。其後的問題就變為要如何支援中南半島的解放戰爭。從有關九三〇事件蘇卡諾之言來推測，毛澤東也想從該事件得到教訓吧。這個教訓是什麼呢？就是關於要如何處理與越南的關係。雖然可以拚命援助越南，但是搞不好的話，實際上等於中了蘇聯的圈套；而冒中美戰爭的危險，是毛澤東他們非常害怕的事吧。透過文革，可見到毛的絕對權威的確立，並在越共的優勢已明確的時間點，以「革命外交」的邏輯，開始中美的接近。季辛吉以祕密外交進入中國，此後續有尼克森的訪中，接著開始中國與越南的齟齬，我這樣連接起來看的。

編輯部：若想到後來的越南、柬埔寨的問題，即在中越關係上留下了非常大的摩擦種子吧。

戴：我想正是如此。考慮到中國對非洲的援助政策也是如此。例如當時紛傳坦尚鐵路（Tanzania Zambia Railway）是一個偉大的模式，但若仔細想一想，中國已非常貧窮，做那樣大的金錢和人力的援助，在外交上卻只獲得精神上的勝利。國際政治的戰場本來就是血腥的，有關這方面中國內部的邏輯形成，我希望看到其分析。接著應該出現「三個世界」論。具體來說，就是1974年鄧小平在聯合國演說中所發表的。

中美和解與中越關係

回到本題，中國是接納了尼克森，但由美國來看，採取此策的一個原因還是因為越戰已經毫無辦法。另一個原因，是蘇聯在其間得到非常多便宜，與美國一比較，已確立出優越性，而且對外一步一步地伸展現在流行說的「霸權」。這是中美拉近的重大因素吧。中國那邊得意地說是毛澤東革命外交的勝利，但對越南來說則好像被出賣了。可能也曾有涉及路線的親蘇、親中兩派的權力鬥爭吧，總之越南走向往蘇聯一邊倒之路線逐漸明確起來。

編輯部：此後，在1975年越南被統一，不久柬埔寨及越南之間發生國境紛爭，越南侵入柬埔寨，中國與越南之間的關係在表面上也變為相當明確化的事態，最後導致中越戰爭。如您剛才所說，其開端也在於中國向美國接近的緣故吧，但在其中所出現的，聽說還是「華僑」問題。關於這一點，您認為如何呢？

戴：事件發生時，我在《世界》上寫了〈從有關亞洲的報導中解讀「華僑」問題〉（1978年8月），以及在《中央公論》上寫了〈越南華僑問題之本質〉（1978年9月）〔以上二文參見《全集》11〕。在論文中我委婉地表示，最好認為「華僑」問題只是藉口，是一種「弦外之音」，中越對立才是本質。在那種狀況下，要把中越對立全然攤開，做為社會主義國家間關係之常例不便提出。只是表面上做為所謂華人的問題，或做為「華僑」問題而提出，內部實情並非如此，應該有更激烈的對立。

另外一個問題是，在文革將告結束之時，講明了就是對越南沒有支援的能力。在「華僑」大量歸國事件剛要發生之前，傳說周恩來在與范文同〔譯註：1955～1987年任總理，有「越南的周恩來」之稱〕的交談中說：「援助的事已經沒辦法，請諒解。中國也很窮。而美國既已撤離，所以……」云云。在此不僅有越共黨內的所謂中國派及蘇聯派的派系抗爭，而且還要考慮到涉及越南「解放」後的建國方向問題。說明白一點，蘇聯在物質經濟上有支援力量，但中國因文革的疲弊而沒有餘力，其在精神上的支援就已竭盡全力了。

「四個現代化」意味著什麼

編輯部：只是，即使這樣認為，有一種說法，據說由於中越戰爭費用高達約二十億美元，若僅從中國國內的情況來看，怎麼樣也看不出戰爭的動機。為何中國當時不得不踏入戰爭呢？

戴：此即對於四人幫被逮捕後，要如何去理解中國的狀況了。亦為到現在也幾乎沒有改變，在周恩來將要去世前所提出的「四個現代化」問題。

中國已經不能以毛澤東和四人幫的路線來進行其內部的社會主義建設。雖說外交是內政的延伸之常識論，即使這樣想，畢竟在此若不結束對越南的支援，中國內部就無法進行下去了。這麼一來，問題就是所謂四個現代化是什麼。一直以來的自力更生，以及兩步走的經濟政策*，在理論上可以充分了解，我認為那樣也不錯，但是一味盛行太過激進的觀念論，僅注重過度主觀的主

---

* 「兩步走」係周恩來於1964年12月第三屆全國人民代表大會第一次會議中所提出，目的是為了實現四個現代化之目標。

動性，因而無法成功做出踏實的中國模式。其情況已經非常嚴重，如果不能解決讓大家吃飽的問題，就會危及自己的政權本身。發生天安門事件時，這種徵兆就已經很明顯了。

這樣一來，所謂四個現代化，畢竟就是積極地接納以美國為中心的資本主義世界吧。要接納美國，就必須要讓美國有信賴感。從日本的論壇來看，就成為社會主義國家彼此間的戰爭、波布政權的暴政、越南的侵略、中國對此的「懲罰」性攻擊等。其中有些我們不能說明清楚，並感到痛心。但是若冷靜地一直追蹤後來的動態，把它整理成類似年表來看就很明瞭。

中國對越南那種「懲罰」行動，就越南與蘇聯的關係來看，究竟產生什麼影響？當時大家都以為中國可能不會動手。因為蘇聯和越南在1978年11月簽訂了友好合作條約。

編輯部：中越戰爭是在1979年2月，1979年1月鄧小平赴美國。依據一種說法，當時鄧小平是副總理，兼任軍方的參謀總長，但美國的接納方法可能不把他當作副總理，而是把他當成軍方的參謀總長。所以應該可以認為，中國不得不發動對越戰爭，以做為中美間的對蘇戰略之一環。

戴：我未必贊成這種想法。在這個時間點，大體上已經知道誰是中國的第一號人物。在今天，大家都不認為胡耀邦是第一號人物，華國鋒也在1979年年底造訪歐洲，即使當時誰也不認為華國鋒是第一號人物。

因此我想與其說是參謀總長等，不如說這是與現在相關四人幫逮捕後，中國體制的必然歸結。總之文革已經不能幹，文革的那種作法如果搞不好，則有可能自己把中國共產黨的統治或領導地位弄垮。因此除了考慮「四個現代化」以外，沒有別的。在其中同時考慮如何阻止蘇聯的霸權，這就是中國的基本態度。這個期間的動態就是日、美、中非同盟的同盟關係，與此之亞洲關係，已在慢慢地明確化的過程，我想如此解讀。

日、美、中「同盟」的形成及中越戰爭

在此我想稍稍往前追溯，看看《中日和平友好條約》以前的動態。現在還會想到，涉及前面所說的「霸權」條款，日本內部相當慎重其事。那個霸權條款迅速地通過，關鍵在於1978年5月福田前首相的訪美。為此卡特前總統贊成了此霸權條款。在此自民黨內支持台灣的派系，總之認為若因霸權條款而被中國牽連就會麻煩，這種反對聲音在不知不覺中消失了。這地方其實包含著非常有趣的問題。

接著，在福田訪問美國回國時，布里辛斯基〔譯註：Zbigniew Brzezinski，美國前國家安全顧問〕赴中國，那時他講了二件事，一是中美友好關係是戰略問題，也就是表示有意承襲尼克森之對中政策；二是對於中國的反霸權表達贊成之意。在此非常明顯的是，雖說也因布里辛斯基是波蘭裔並反蘇，但從美國的現實主義來講，大概也承認美、蘇力量已失去平衡了吧。也就是說美國當局在此時間點，已把自己的力量的局限加以明確化。

布里辛斯基後來更澄清了三點。一為中美友好對世界和平有貢獻；二是中國變成富強與美國的利益一致；三為美國繼續涉入（commit）國際性的事務是中國的利益。由此使中國更積極地醞

釀出肯定美日安全保障的氣氛。這線索若不充分掌握，就不能明瞭目前的狀況。

接著在同年8月，簽訂了《中日和平友好條約》。至此已向世界明白表示中國、日本、美國要合力阻止蘇聯的霸權活動。日本因為有和平憲法或等距離外交的原則，不能在檯面上提出。我想可以認為美國或中國為此作了代言。鄧小平更是於10月下旬訪日，繼續於11月訪問東南亞。隨後在12月16日，卡特聲明美國和中國建交。而且值得注意的是在建交聲明中，還是列入反霸權條款。日本的大眾傳播可能把這一點意外地看漏掉了吧。

對於這樣的動態，蘇聯和越南採取了什麼動作呢？其一是在1978年1月，越南很明確地開始侵略柬埔寨。然後在鄧小平剛結束東南亞的訪問時，在11月簽訂了蘇聯越南友好條約，接著蘇聯阿富汗條約也簽訂了。

在此，蘇聯強力施壓要日本放棄《中日和平友好條約》的霸權條款。這是因為自從1969年以後，蘇聯雖然提倡亞洲集團的安全保障，但其形勢變為除了這兩個友好條約以外都失敗了。在鄧小平從訪問東南亞回國時，范文同與蘇聯的副外交部長尼古拉・Firyubin（N. P. Firyubin）訪問亞洲。

在這種狀況中，鄧小平於1979年1月訪問美國，回國後才對越南發動「懲罰」的攻打。像這樣整理成年表的話，蘇聯對中國、美國、日本之關係就會更加明確化。

不過即使這麼說，美國無論如何還是不能盡信中國，因為擔心不知什麼時候中蘇又會處在一起。其實在此所呈現的，不就是中國對越南的「懲罰」行動嗎？在此中國隱藏著幾個意圖。一是向蘇聯表態，一旦有情況，我們這邊也要硬幹；另外也可看出，針對各國推測中國雖然在說大話，但不至於會「懲罰」，做出明確的表態。還有一點即似乎對美國、日本、歐洲共同體等有示威的意思。

最後，雖然不是很明確，但那次對越南的「懲罰」，並非轉機而是結果，是否與此後中國鄧小平、胡耀邦、趙紫陽體制的確立形成有利的關聯？徵諸國內外的史例，其實對外行動經常變為促進內部團結的一大助力。關於這部分我雖然不能明確地說有，但我要把也有持這種見解的部分人記錄於此。此是花了很大的代價，並對人民造成痛苦的戰禍。

做為「保險」的「反霸權」

編輯部：趙紫陽是在1981年1月與緬甸、泰國，然後在6月與巴基斯坦、尼泊爾、孟加拉，在夏天與菲律賓、新加坡、馬來西亞進行亞洲外交。若延續剛才的話題來考量，這與鄧、趙體制的關係是如何呢？

戴：由以上的前後關係來考量的話，總之對於目前中國的緊急課題在內政方面是四個現代化，在對外則是對付蘇聯的威脅吧。關於「四個現代化」如剛才所說，自立更生以及兩步走經濟政策的作法，其局限已在文革批判加以明確化。這麼一來，留下對外關係的問題，尤其是如何引進並應用日本和美國的資本、資金、高科技以及整廠輸入。除此之外，還有如何獲得華僑、華人協助的問題。

冷靜觀察的話，此政策展開講明了就是對於修正主義的定義變更。對「蘇維埃社會帝國主義」而言，也是主要在對外擴張上面對蘇聯作批評，而關於蘇聯的內政已經不作太多批評。這種事情在某意義上，鄧小平路線已經不得不把目前中國的經濟建設採用接近蘇聯的作法。這事情畢竟也曾有外交上的主張，但是應該關係到學習南斯拉夫或羅馬尼亞之路線。還有，與目前在廣東、深圳、珠海正在建立的如台灣或韓國的免稅區（保稅、自由加工區）也有關係。依照這種形式，要實現中國四個現代化，提升民眾的生活水準，並藉此以喚回民眾對黨的信賴感。

在四個現代化，必須有和平的環境。沒有和平的環境是不能進行的。那麼與蘇聯之間要如何做是最大問題。總之要請美國撐腰以及請日本承認霸權條款，在此支持之中，不讓蘇聯越過國境，就能得到某種程度上的保障。

雖然這麼說，日本和美國果真會簡單地聽信中國的意見嗎？當然不會。兩國的領導層可說全然未真正地信賴中共。說明白一點，因為僅靠自己力量的蘇聯已經難對付了。決定性的關鍵在於阿富汗、越南。對於東南亞，越南從此要如何走出去？從這件事情來講，日本和美國的確與中國是利害一致。另外一點應該是，對於日本和美國的資本主義而言，中國還是具備很大潛力的市場。因此不但在政治、軍事、外交方面，北京、華盛頓、東京的利害一致，其實在經濟面上也是一致，所以才有今天的狀況，這個想法不知你認為如何？

中越戰爭後的東南亞國協及中國

其次的問題是對東南亞國協的問題。目前越南侵犯了柬埔寨，並接近泰國國境。隨著越戰的結束，美國留下的坦克車、武器、飛機等使越南成為軍事大國，寮國實際上也在其控制之下，所以東南亞國協各國認為將來東南亞可能會有危險。

在此再略為回顧一下東南亞國協，東南亞國協是在1967年組成，是對越戰的一個回應。在此背景中，首先是馬來西亞的中立主義，一直不希望被捲入越戰；第二為印尼與馬來西亞的對立，由於1965年之九三〇事件而消失；第三是新加坡與馬來西亞分開。但即使成立組織也只是形式而已，實際幾乎不曾發揮機能。在1975年中南半島戰爭結束，在此驚慌之餘1976年在峇里島舉行第一次東南亞國協元首會議。峇里島會議的目的非常明顯，就是要如何對付越南，然後要如何對付在本國的共產主義運動，又各國要如何協力促進近代化及工業化。

但當時最大的衝擊，還是越南侵犯柬埔寨，並繼續往泰國的國境接近。不過，對於越南侵犯柬埔寨，在東南亞國協之中，好像也因國家的立場，反應略有不同。

編輯部：泰國與印尼的對應就不一樣。

戴：是的。泰國無法簡單地回應其討價還價。印尼和馬來西亞承認橫山林政權〔譯註：1979年越南入侵柬埔寨後扶植的政權〕，以越南撤退為條件而達成協議，似乎想就此穩住情勢。泰國則不知能否穩住。又若承認前例〔譯註：指以越南撤退為條件承認橫山林政權〕，則自己難免要引火自焚。因為鄰國即是柬埔寨，若要阻止越南就須支持波布政權。夾在中間的新加坡和菲律賓，其動向非常有趣。各個的意圖另當別論，目前在表面上，印尼和馬來西亞也在配合泰國的步調。中國、日本和美國也支持泰國的立場。就此意義，美、日、中與東南亞國協之內部可能有矛盾，但從大局來看，在政治外交上大體是一致的。

若從經濟面來看，例如中國因為四個現代化而向日本海外經濟協力基金申請了60億美元，東南亞國協對於這件事擔心自己的取得部分會如何，這事可回想出來。雖然有這樣微妙的矛盾，但作為方向中國若把四個現代化確實認真地進行，那麼東南亞國協也贊成。不過做為東南亞國協方的主張，東南亞國協要求中國不可支援關於東南亞國協內部的共產黨運動，並要求中國做明確的宣告。對於這一點，中國做不到。中國的主張是：黨與國家的關係不同，各黨是各國內部的問題，並非中國所能關切的。但做為現實的問題，我觀察中國共產黨並未如同以往支持東南亞國協內部的共產黨。

但結果如何呢？蘇聯也想參一腳。假如蘇聯積極地經由阿富汗或越南而得到支援，一旦有一天真的有哪一國的政權被推翻時，這下子中國做為社會主義國家，對於東南亞的革命政權會形成怎樣的關係？將來可能會發生這種問題吧。

中蘇和解的可能性

編輯部：有一點忘記請教，曾有一度被提起的中蘇和解問題，若以至目前所看到的前後關係來考量，在最近的將來是否有可能呢？

戴：我想大概不可能。如果可能，那就是中國的四個現代化已經成功的時候。

編輯部：曾有這樣的說法：要實施四個現代化，估計至少需要約6,000億美元的資金。日本所支援的金額是60億美元吧。而西方各國的合資，充其量大約也只有100億美元。這樣的話，蘇聯目前也沒有能力支付那麼多，從現代化所需要的資金而言，僅靠美、中、日的關係，今後也能進展嗎？不知戴先生認為如何？

戴：在靜態上所打的算盤確實似乎是如此。但應該以動態論考量。我不想忘記經濟是有生命的，問題在於內部能否培養能力，將某程度基礎金額的投資善用於正面的循環，有必要更偏重於這個問題。否則即使投入1,000億美元也是沒有用吧。而與蘇聯的關係，做為我所想像中的中國，其最好的選項就是不爭吵而作批判和反對。所以不要過度地刺激蘇聯，不過只在關於海外擴張方面，以「反霸」之事由繼續批評，與日本及美國間建立順暢的關係，並且在東歐各國之間——譬如向南斯拉夫或羅馬尼亞接近；對EC（歐洲共同體）則開放市場，這應該與往年戴高樂政權為了接近中國所採取的政策，將其道還諸EC之情形差不多。

這樣看來可以知道，中國採取非常務實的外交、經濟政策。但最後還是留下一個疑問：中國不知如何思考做為社會主義國家的理念或如義務感的事情。我認為在思考今後中國的前途之際，這是不可忽視的。

華僑在東南亞的地位

編輯部：剛才說到中國與東南亞國協之間的關係，而提起中越戰爭，在亞洲華僑問題非常大。尤其只是住在東南亞就約有一千六百萬人，考量亞洲時，若避開這個問題就行不通。我們的華僑觀本身也有修訂的必要，並非指對於中國的華僑，而是與我們的亞洲觀所持有問題性的關係。關於先生多年來對華僑問題一貫的主張，若能請您開示其一端，在理解中國或亞洲上有莫大的助益。

最近某報社出版了書名為「華僑」的書，其副標題還是稱作「商才民族」，只看到做生意的話題，或是擺脫不了將華僑定義為商人資本。華僑本身分為種種階層，應該有各種問題，可否請您從這點加以說明？

戴：我以日文來表達時，是以加上引號的「華僑」來表示。加上引號是因為本來華僑是指持有中國的國籍而出國掙錢的人。現在他們的後裔大部分已取得居住國的國籍，仍然把這些人視為華僑是否妥當呢？

現在您說日本人的華僑觀需要加以修正，我認為正是如此，所以我在這十年間雖然數量不多，也寫了種種的文章。很明顯的一件事就是中國政府本身的華僑觀、居住國的政權負責人的華僑觀，以及被稱為華僑者自身的定位，這些個別都有問題。

簡單地說，華僑問題是在東南亞被編入世界史的過程中所發生的，也就是形成於歐洲各國統治東南亞、開發殖民地過程之中。因此華僑問題首先必須做為殖民地的遺制來理解。對於各國而言，涉及自己的被侵略史、殖民地遺制，華僑問題要如何定位來處理，又由於與自己的建國問題之關聯，要如何定位、解決，這些都會成為課題。

但遺憾的是，東南亞各國除了新加坡以外，沒有那麼多餘力。現在還是有很多國家、政治家都是以人種主義的，或抱持民族主義的見解，而且民族主義是從非常褊狹的民族主義觀點，來掌握所謂的華僑問題。

在其中又加上了二點。一是在1950年代，由於中國革命及美國在韓戰的敗退，接著越南也變得有問題的過程中，美國國務卿杜勒斯從如何阻止中國革命的觀點，做為圍堵中國政策與骨牌理論的一環，把華僑問題以人種主義，而且做為反中共政治運動之一部分來處理。總之，就是華僑＝北京之第五縱隊論。

被置於這種狀況下的「華僑」，說明白一點，就是不知如何才好。從他們的就業型態來說，大概約有五成是小商人、熟練工或是教員、律師、醫生。這些人的所得水準平均比原住民系的公民高，成為被嫉妒的對象。另外一半就是農工關係的勞動者，這些貧窮的人並不顯眼。這麼說也是因為貧窮的「外來者」，本來不被關心是古今的慣例。因此剛才所提及一書的副標題說「商才民族」云云，老實說不能苟同。

這點暫且不談，七成「華僑」已經經過幾代都在居住國生活著，對他們來講，要說故鄉在哪裡，就是在自己出生的現居住國吧。中國只不過是自己父祖的故鄉。但在東南亞貧困的政治面所顯現的，或是在國際政治嚴酷的矛盾抗爭中，他們所占的地位，沒有被冷靜且理性地以歷史的過程及現實的人類次元加以定位的餘地，不論自己或別人都是，都只能說全然令人左右為難。

中國的華僑政策

戴：第二點是以為由於中美關係的好轉，以中央情報局為中心的一種稱為「華僑」＝中共第五縱隊的政治運動已經消失了，結果反而接著蘇聯和越南幹起那件事，這只能說是遺憾。美國的骨牌理論，加上中央情報局之反中國宣傳、圍堵中國政策之中，與「華僑」＝中共的第五縱隊＝可惡的黃禍論，大致為同出一轍的人種主義「華僑」論，出現在莫斯科及河內的刊物上。看到這些，究竟社會主義是什麼，令人感到難以理解。

稍微被認為有救的是，由於難民的逃離，越南在人道主義上受到全世界的批判。此後蘇聯在東南亞還能擴張影響力嗎？想來，金錢的誘餌雖然能使一部分人上鉤，但未能達到左右大眾的程度吧。如今看不到像美國以往那樣發揮宣傳效果，這一點稍微有救。

其次剩下的問題是中國本身如何思考華僑問題。中國在方便的時候就說什麼「血濃於水」，令我感到困惑，好不容易於最近才完成國籍法，但是只完成國籍法而不承認華僑的雙重國籍，究竟誰是華僑，誰已經不是華僑，若以我的用詞就是如何區別華人和華僑？這些問題若不詳細地明文規定是不對的。因為華人是居住國的公民，中國在政治、外交關係上，不可以把他們當作處理自己國民的對象。若根據周恩來知名的仰光演說，到底只是嫁出去的女兒，在出嫁的婆家插話沒有好事。我想應該把此分際明確化。在這種意義下，無分別地把「血濃於水」云云當作口號，向「華僑」送秋波，應該停止此等作為。否則一旦東南亞各國以人種、民族差別對待「華僑」，就不能抱怨人家。因為持續做為「血統」的囚犯是彼此彼此的。結果中國本身很可能變為在給予迫害「華僑」的藉口。需要做的是，誰是華僑？誰是華人？中國應該立法明確規定。也就是說，把所謂華僑徹底當作是持有中國國籍的人，而把華人當作是持有居住國國籍的人。

聽說中國在原則上禁止華僑的雙重國籍是在1954年9月，第一次全國人民代表大會。但是好不容易在1980年9月才實際立法，公布國籍法。拖延了那麼久的原因，可能是由於中國的國內情勢，以及「華僑」居住中心地區的東南亞與中國的外交關係等複雜的糾纏。詳細的情形不談，新中國的華僑政策再三地變更是件困擾的事情。尤其在文革中，以「華僑是榨取階級，是資產階級，也許是外國的特務」云云，使歸國華僑在國內的遭遇很慘。文革波及到外國是當然一以貫之、過於激進的階級理論，其結果反而惹出排華暴動。

現在又轉變為華僑的歸國投資再度開始受獎勵。若是真的華僑就好，華人的情形如何呢？純粹以外國的資本經過居住國政府的許可而引進就沒有問題。如果把此事混淆在一起難免引起重大麻煩。尤其目前東南亞沒有資本輸出及企業進展等之餘地，若硬要說都是華僑，毫不介意、無區別地強行下去，結果反「華僑」運動就結合反中國運動而不可收拾。期自我戒慎警惕。

在1981年12月13日的《讀賣新聞》，我很感動地拜讀了日裔美國人而為加州選出的早川參議員關於日美貿易摩擦的採訪報導，他確實對於日裔人與日本人的區別有明確的意識而發言。

我認為應該也把「華僑」明確地分為華人和華僑（中國人），努力早日將自己定位，而讓第三者尤其居住國相關人士承認。應該知道讓自己的身分曖昧不清，不僅造成自己的困難，連相關人士全部都會受到困擾。還有，希望居住國當局把華僑問題當作殖民地遺制整理、克服的一部分課題來處理。若把殖民地經濟結構照舊放置，以人種主義、民族的偏見及對症療法應付「華僑」經濟，問題同樣無法解決，可能會加深惡性循環，持續混亂，只會再看到流血事件吧。

本文原刊於《經濟評論》第31卷第2號，東京：日本評論社，1982年2月，頁38～49

深入踏查中國庶民生活

——認識日本與中國的不同鼎談會：相互理解的可能性是……

◎ 蔣智揚譯

時間：1982年4月21日

地點：東江樓

與會：村山孚（中國研究者）

長野廣生（電影《長江》的出品監督並演出）

戴國煇（立教大學教授）

戴國煇（以下簡稱戴）：今天想與村山先生和長野先生一起談談不太難的問題。

首先，請談一下二位與中國的關係，包括戰前、戰後及最近的情形，並兼自我介紹。

關於村山先生在《人民中國》雜誌所連載的〈北京新歲時記〉，使我們心滿意足，希望也能談及這點。

我與中國的交往

村山孚（以下簡稱村山）：我是在戰爭期間離開學校而進入「滿洲國」。很慚愧，當時認真地想著「王道樂土」以及「五族協和」之類的。但是在基層的農村工作了約一年半，感到情形似乎不對。開始覺得奇怪時，就宣告戰敗了。被體諒還年輕而得以歸來。從那以後將近二十年，一直從事著雜誌或出版的工作。雖然非常關心中國的事情，但是並無直接關係。

四人幫被放逐後經過約一年半，有位前輩介紹，問我是否有意願去協助中國針對日本所出版月刊誌《人民中國》。這當然是由中國人寫原稿，由中國人翻譯而編輯的，我的工作就是查閱譯文，是否有由日本人讀者看來覺得奇怪之處，或是接受企畫的商討……。以外國為對象的出版物要接納外國人的意見，這似乎是以前周總理所提出的方針。

我本來就喜歡中國，感到能夠達成心願，於1978年春天去北京。其實我一方面還是戰戰兢兢的，說起來我還是左傾的，雖然不是純正的左派（笑），但對方是教條式而難通融吧？而且我是「滿洲國」的敗兵。我是與太太二人一起去的，在宿舍裡也是低聲談論，深怕會有人在偷聽（笑）。

戴：所謂宿舍是……？

村山：就是把所謂「僱用的外國人」稱為「外國專家」，包含語言學教師在內的各國人，都住在友誼賓館範圍內，好像叫作專家村的幾棟公寓式住宅區。也有餐廳，可吃到中國式世界料理（笑），從此處到各工作單位上班。其實一開始工作和生活，就知道原本的顧慮是多餘的，也許是正值四人幫解散後的開放政策開始的時候，比想像中開放很多。工作方面也是一樣，在此之前的中國對外宣傳，尤其在文革中是政治論文擺第一，例如將只有中國人才會懂的政治口號照原樣輸出國外。現在認為這是錯誤的。

戴：就是說終於注意到了？

村山：就是啊！大約從1978、1979年以後，轉變以廣大讀者群為目標，報導中國各方面，想要獲得親切感。本來在1960年代的初期之前就是那樣的版面。中國的好事與壞事都要報導。……如此一來，我們似乎也有一點用處，感到心安理得（笑）而一路幫忙過來。本來預定二年，因彼此合作愉快，待了三年半，於去年秋天回來。

由於住在專家村受特別待遇，談不上知道中國人的生活是怎樣，不過也想知道中國人的習慣與想法。不以日本的一把尺去衡量事物，決心要發現中國人的一把尺。因而碰到難以理解的或生氣的事，反而會高興（笑）。如此每天忙於追根究柢，連喝酒享受的時間都沒有（笑），結果也成了對日本人的研究。中國人對自己的尺度也很頑固，但因態度悠閒而不顯著。日本人較性急，動不動就搬出自己的尺度而大發雷霆。不論旅遊者或居留者，實際到中國之後因與自己的尺度格格不入而混亂的大有人在。大約從1979年以後，日文教師、商社人員突然增加。這些人對中國的認識也很有參考價值。

認識中國不能用日本的一把尺，也不能光靠文獻本身。還是要親身體會中國人平民百姓的想法，以其當作底子，光靠文章是不足以了解。

戴：您提起很有趣的問題，其後續的話想請您等一下再談。現在想請長野先生發言。

長野廣生（以下簡稱長野）：我在幼年時，曾住在現今叫丹東，以前是「滿洲」的安東之處。渡過鴨綠江到對岸朝鮮新義州的學校去上學，正好是世界恐慌開始的時候。其後，哥哥從丹東的中學去北京的大學。於是請哥哥帶我去北京的學校。那是1930年代最後的一年。當時中日戰爭已經開始，北京已經沒有抗日派的愛國學生。我也快20歲了，想到這場戰爭究竟是怎麼一回事等的疑問。

其後隨著軍隊，於昭和16年被帶到華中，駐屯住在洞庭湖附近。戰爭末期，從湖南步行到廣西、廣東，最後在江西省南昌以南迎接敗戰，其後通過長江北岸的新四軍地區到了南京，在那裡做了六個月的俘虜勞役。也就是在那時開始接觸到中國的民眾。被解除武裝後，開始時被擲石頭或吐口水。當時規定糧食給幾公克，其實只有稀飯。南京的市民看到後，認為這樣無法幹活，給我們做飯盒送來，由這些事情感到開始稍微了解中國了。也就是，要打擊蔣先生，拿下南京，這根本是不可能的事。在日本以優秀的學校成績畢業的軍人與官僚，為什麼會幹起這樣的傻事，我在軍隊的時候沉痛地思考著這些事。

戰後幾十年，認為中國是處於一種鎖國狀態，不想進入其中。可能是因為看過中國人平民百姓以往好與壞的樣子，每次看到日本人自認了不起的中國論，會感到不是那麼一回事。

1980年3月，「魯迅之會」的人說想去中國，我也有意看看平民百姓，就去了上海、杭州、紹興、廣州等地。旅行的最後碰上劉少奇的平反。回來後隔了一陣子，有人問要不要參加電影《長江》的拍攝，就高興地去了。先是1980年到了西南的內地，1981年從武漢往下游走，總共旅行了近百日。雖然只不過是旅行，平民百姓的臉連未開發地區都進去看了。自其印象，感到總算達成長年的心願。

日本人對中國認識的種種

戴：那麼，在進入中國的一般民眾話題之前，請村山先生接著剛才的話題，談談在中國所遇到的日本人中國相關人士的印象好嗎？我們預定在後面要談的「相互理解」究竟是否有可能，希望與這個主題能產生關聯。

村山：北京最近二、三年日本人增加很快，除了日本人的日文老師、廠商的派駐人員與家屬等長期居留者之外，還有為觀光或特定目的而來的旅行者也不少。和他們天南地北談的結果，對於中日必須友好這件事，百分之百都無異議。日本人大概都喜歡中國。不過，其對中國的認識，當然各有不同。值得注意的是，其中也有些人，因為看到的與以往所持印象不同而感到失望。這一點，中國人對日本的認識也可能相同，彼此彼此吧！不過，日本人較特別的情形是，在日本政府對中國敵視的政策之中，有人持續呼籲中日友好，也有人在文革中對中國寄予種種期望，這些人之中就有感到失望的，只是不知占百分之幾而已。舉個不太恰當的比方，例如在談戀愛時，父母愈反對，愈要找出對方的優點。但是一旦結婚，也不能只追求理想。有了家庭之後，以前看不見的缺點漸漸看出來了（笑）。況且，中國本身以往都隱藏缺點，但說要「實事求是」而盡量將其暴露出來吧。愈是「觀念組」〔譯註：只在觀念上嚮往中國的人〕愈大失所望。與歐美或東南亞不同，日本與中國如繩索般糾結，反而情形更加困難。不過也不是壞事，如能從這裡成為加深理解的出發點的話。

還有一點，有人因習慣的不同而吃驚，此以旅行團居多，尤其是像對於廁所的印象。

長野：飯店是另外一回事，到公園或鄉下的話連門都沒有。

村山：就是，怕被人家看光光而不敢去蹲，只好忍著回到飯店（笑）。問題是，就這樣會判斷中國是落後的。我想這可說是歷史性的，不過是習慣的不同罷了。相反地，中國人來日本旅行的話，在較小的大樓或鄉下的車站，大號是男女共用的，中國人尤其是女的，會吃驚而不敢進去。在中國，到鄉下不管多髒，男女都完全分開吧。日本人的確太愛乾淨，都在榻榻米上過日子，與在地面上起居的中國人，其生活是不一樣的。將其相提並論，說什麼乾不乾淨，不是有點奇怪嗎？有著生活面的差異。

戴：將廁所當作國際話題比較的話，在英國的宮殿裡並沒有廁所，京都的御所也沒有吧。

村山：是啊！

長野：要上密室關閉的廁所，這一點日本人有點怪。像歐洲或俄國、美國，都與中國一樣呀！

戴：這是設定什麼觀點而比較的問題。誇大地說，就是如何正確進行國際認識的問題。

村山：到中國訪問的日本人，以其對中國之認識來分類的話，首先有「贖罪派」，認為日本對中國做了壞事而對不起中國，這些主要是上了年紀的人。其中又分二種，雖然持有同樣贖罪意識，一種人認為中國與往昔沒有不同，不論變為什麼政權，中國不會改變。另外一種人認為有些方面未改變，但認為新中國後改變的地方也很多，而想見識見識的人也有。

還有一種叫作「高度成長自信派」。這些是未曾體驗戰爭的年輕人，大概三十歲左右，以商社職員居多。他們生長在日本的高度成長之中，因此認為一通電話就可立即連到全國，將其視為當然。老實說在中國不是那麼容易，並非以電話就能解決任何事，各種服務也不如日本。而且，也有一些人由於不知道中國長期的封建歷史、被侵略的苦難、革命的歷史，因此僅以目前的經濟水準來判斷，而認為中國不行。明治時代的日本人，採納歐美文明，看到以往所崇拜的中國依然故我的舊態，便以「清國奴」藐視之。當然現在與當時完全不同，雖是屬於少數，不過的確也有堪稱「第二次清國奴意識派」的日本人存在。

雖不到這個程度，但最近有訪中回來的經營顧問，就說中國的經濟建設不行。因為他在北京街上走的時候，趕過他的中國人一個也沒有。為什麼每一個人都走得很慢。他很認真地說在工廠也是那樣慢吞吞的話是無法近代化（笑）說真的，中國那麼大，那樣急著要上哪兒？

互相淨說著好聽的，反而無助於真正的友好，不如將負面的稍微誇大其詞舉出，還請中日雙方的人都不要誤解（笑）。還真不保險耶！（笑）

不過說也說了，再說一個吧（笑）。也有一種「算盤派」。某駐北京商人訴說，由於中國的經濟調整，銷售額大幅滑落。不過，還好現在主管還有「贖罪派」在，他們說即使赤字也要把中日貿易做下去，但等到這些人不久退休後，主管都由「算盤掛在胸前」的人來當。如此一來，會被詰責中國駐在員在做什麼！回來也沒了出頭之路，這是非常惱人而難解的問題。私人企業的邏輯與國家的、民族的命題……。

中國那一邊也有可說是問題或誤解。例如，就是日本什麼都要賺。當然這一面是有的，不過也有不少是不管賺不賺錢。但是，日本是什麼都以資本的邏輯在運作，也有中國人就意識到自己在被剝削。而的確留存著唯我獨尊的餘韻，也是屬於官僚主義的問題。這些事情相互間如果能夠坦誠談談就好了。

戴：可說是一直就欠缺對中國歷史脈絡的認識吧！拜聽村山先生的話，感到類似1960年代末期到1970年代初期圍繞回歸亞洲的日本人，其與亞洲的文化隔閡。只是，以中國為對象時，它還是有悠久的燦爛文化，有日本文化之根的一部分，而且有對社會主義的憧憬所造成的落差。說「清國奴」是無可救藥的傢伙傾出舊藐視感的；也有以高度成長為傲，因太平盛世所造成「日本第一」的氣氛而自我陶醉的，就有像剛才村山先生所指出那樣的人。

自1960年代末期到1970年代初期，田中〔角榮〕首相（當時）去了印尼，卻因街頭示威而寸步難行，無法走出茂物宮殿（Bogor Palace）的那段時期，而在其稍前已經急進入去經商的當時年輕人，其中大部分就罵起亞洲的停滯不前、落後。然而那些人現在卻說新加坡了不起，台灣、香港、韓國的經濟成長不得了。拿這些國家、地區相比，他們現在說大陸不行。新加坡本來以中國人為中心，台灣與中國大陸明顯同樣是中國人，卻要將原因一切歸咎於人、民族的問題，真是傷腦筋。

村山：還有一點，我自己也曾經這樣，即日本人喜歡制度，一有什麼制度出來，就會認為全國都全部變為這樣了。簡單地說，一說到社會主義，就認為中國的住宅沒有私人的，全部都是公有。不過，中國農村的住宅，公共住宅也是有，但私有的比較多。不論社會福利制度也好，學校制度也好，雖然大致有基準在，但是各地的差別極大。上海自1979年起，規定一部分的高級中學年限為三年，次年起剩下的再改為三年，如此分階段實施，所以還有二年的地方。但會使日本人認為全國都變為三年了。

戴：因為日本是那樣，僅以自己的尺度去衡量別人。我認為自明治政府以來的徹底劃一化很了不起。這也可說導致日本人以自己的量器去度量別人，這樣的習性很強。

村山：不錯。總之也因為中國太大了，發展階段各有不同……。

戴：還有一點，社會主義也不過是人為制度之一環而已。但是如此當然的道理，卻意外地有很多人把它給忘了。

村山：就是。真的有很多人。所以去看就覺得不是那麼回事，不管去哪裡看。最近已經不驚奇了，但是三、四年前，在中國看到情侶在一起，就如獲至寶似的拚命拍照。因為是一廂情願的社會主義，一有什麼不一樣的事情出現，認為中國已經放棄社會主義了，不知要往何處去（笑）。我也不幹了（笑）。

現在還活在歷史中的中國人

戴：村山先生提出很棒的問題。想請教長野先生，您長年都參加「魯迅之會」與「中國之會」，這次也透過電影《長江》的工作而與中國有了關係。依我所見，長野先生主要的關心是在於「民草」，我私下認為您對他們持續懷有無限的情愛。因此我想善意地解釋為，中國社會主義嘗試著經營，要自「民草」轉移到本來的人民概念之範疇，而現今正處於過渡期。「民草」在痛苦中想要翻身為人民，但是能不能成為人民，目前被迫站在「轉角」。

長野先生可說對此「民草」具有興趣。而這次因《長江》的電影拍攝，前後日數長達一年，踏遍許多地方。從這些寶貴的體驗，對於日本的中國研究，或是進入日本而被扭曲的中國資訊，日本人對中國、中國人之認識等，想請您配合村山先生所提起問題加以談論。

長野：村山先生住在北京，並將去中國的日本人，分為三、四種類型，而我並非最近去的。我本身認為中國具有變與不變的二方面。同行的人，幾乎都是生長在高度成長下。

村山：二者之鴻溝倒是滿有趣的。

長野：此鴻溝在我與他們之間經常感受得到。例如看到了南京的長江大橋，在武漢的那座大橋是經由中蘇合作建造的，而南京的是在中蘇斷交後才開始，也就是中國獨自施工，花了九或十年的功夫。聽了翻譯的說明後，我們這邊四十歲出頭的人就說「什麼？這樣的橋也要花十年的功夫？」像這樣，不管他們有無意識，我認為是屬於「第二次清國奴派」。

我因為偶然對其歷史尚知一二，所以不會說上述的話，而想體貼說「真是難為你們了」。但是，不知道的人去了，所說那些話是老實話，而知道歷史的人要說他們亂講也沒有辦法。中日相互不了解，而以往中國在某種意義可說是鎖國狀態，但是也只有從對撞、衝突來開始，有如此某種無奈的心情。因而認為，我們這些讀了歷史而多少知道一些的人，硬要對高度成長世代說服這一點，是行不通的，只有從衝突才能開始。我認為我們這邊驕氣凌人，恐怕會再度招致失敗，但隨它去吧，心裡一時浮現了破滅的想法。

戴：像德意志民族那樣，發動了兩次大戰，現在始做為自己的課題，拚命想從內部追討納粹主義，您說的邏輯是產生像這種德國人的執著嗎？

長野：人類是悲哀的，雖然頭腦好的人一大堆，但是非得流血就不會省悟，日本也是在第二次大戰之後才稍微省悟。一定要死幾百萬人才會覺悟幹了那樣的傻事。但是，尚未真正地醒悟。

我也覺得中國，進行文革，造成那麼大的犧牲之後，才恢復理性。文革也是開始時，想要排除某階層的既存特權，令人感覺有其好的一面，卻走過頭而變為派系鬥爭，造成了那麼大的犧牲。但是，如果不那樣，也不會來到現在的四個現代化。所以說人類似乎是沒有犧牲就不會省悟呀！

戴：做為人類的共同教訓，日本也是非得再幹一次不行，也有這樣的意見。

長野：我沒有勇氣說得那麼絕，但希望不要發生。不過會使人那樣想，也是有原因的。在高度成長下長大，僅有那樣的感覺是可怕的。

關於不知道中國的事情，我曾反省過。現在中國發生的諸多現象，像違反近代化的官僚化問題等等，日本也自幕府末期以來，全部都經驗過了。只是不同的是，在日本的經過時間較短，而很快就能夠加以劃一化。

戴：不過，中國有10億的龐大人口，而其國土之廣可匹敵歐洲全部。其中各地發展不均，又有多元的文化與多元的民族，而日本的情形是……

長野：是一元的。

戴：幾乎接近一元的狀況。其差異如果日本人不充分理解的話，就會很糟糕，這是長野先生的意見。

長野：是的。

戴：那麼，村山先生為了追尋中國的「民草」群像，曾經在中國生活。其間目睹「民草」的生活，他們被視如雜草而踐踏，但還是拚命苟延殘喘，對於中國與中國人，您的觀感如何？

村山：要說「民眾是秉性堅強的」，這不免變成教條式的獨斷，真是一言難盡啊！而且並非過著與中國人完全一樣的生活，所以不是很清楚。可是中國人的生活感覺是極其現實，因而在政治上必須經常標榜理想。而理想可說時常受著嚴格的現實考驗。說起其中所感受的一點，就是事情不拘好壞，歷史的比重總是很大。譬如以現今的日本人來說吧，絕對想不到有什麼會與二千多年前彌生時代的傳統或是思考模式有所關聯。可是以中國人來說，西元前的模式還殘留著。譬如最近就常提起「五講四美」。

長野：所謂「五講四美」，就是講求文明（節制）、禮貌、道德等的運動吧？

村山：是的，然後再前溯就有「三反五反」或「三自一包」等。不用說，雖然內容不同，各個說法都承襲二千數百年前《論語》的「五美四惡」或是《韓非子》的「七術六微」表現方式。然後，去年我前往長沙馬王堆，就是發掘了二千多年前老夫人完好未腐木乃伊的地方。我發現覆蓋她身上的綢緞花樣，竟繪有建築物屋頂的裝飾品。但是偶然在長沙郊外的農家屋頂，也有一模一樣的東西，即叫作「火珠」的裝飾品。河南以及其他地方也有，千百年用一模一樣的建築形式，讓我大吃一驚！反正就是說以這樣的型態，中國數千年歷史在現實中仍然照樣存續著。再舉近一點的例子，就是關於「暖簾」〔譯註：日本商店掛在門上，印有商號的多幅半截布簾〕一詞。

戴：在村山先生所寫〈北京新歲時記〉中提及的。

村山：是的，大約在鎌倉時代〔譯註：1180～1333年〕自中國輸入日本而經過各種變化，但在中國仍一如往昔使用著「使房間保暖的簾子」。由一事可概括萬事，極其古老的東西還照樣留存著，在其中以改革為目標。我覺得首先必須考慮到此。

戴：可以這麼說吧，比方以日本的情形為例，自明治開始以來，尤其昭和30年以後，從高度成長就一直在流動不停。所謂日本的強處，其實在於其「動」。將民眾的金錢以郵政儲金蒐集起來投資，至於房屋也採用木造，大約每十年就改建一次，就是這麼使經濟動起來，可是歐洲或中國等地……。

長野：在中國是不改建的。

戴：不錯，像樓閣、土角、石屋、城牆等等。

長野：在中國不改建的一例，就是西南方的木造房屋，在其木材上貼牆，其木材非常古老。

我們一般所謂的中國，都說黃河是文化的搖籃，是具統治性的文化搖籃，但是這次去了才覺得不是那樣，其實從文明與文化來說，到底何處歷史較古，尚未有定論。現在民族學者開始研究西南部，從鳥居龍藏開始著手過了80年，才稍有一點結論。前往長江也深切感到，與我們腦海中關於中國的概念有著截然不同的差距。

村山：最近在中國的歷史、考古學界，關於楚國文化及長江的研究，身價在看漲了！

長野：不過日本人尚未到那個地步。即使研究人物中國史，大概也不過是長安、洛陽的漢朝罷了。

戴：而且在中國，也可另外說成脫不了「逐鹿中原」。我個人感覺非常有趣的是，國民黨為何將首都設於南京。

長野：因為自東吳以來就是這樣，明朝初期亦定都於南京。

戴：可是從中國全體來看，南京並非適合設置首都的地方。從氣候或者地政學的觀點來看，還是北京較適合。中國共產黨設於北京，國民黨設於南京，這些事實的意義，在近代以後的中國歷史中，應如何看待？我未做政治上的研究，而以一種推理來說的話，可能是由於在國民黨內部持有發言權的人們裡面，沒有像毛澤東般，歷史素養豐富的人。因為有了毛澤東才不設在南京，而在北京，再到中南海。這些都出於「逐鹿中原」。

長野：所以統治就是這樣的。

戴：長野先生所說的江南，至今仍未被視為中國文化的主流，這種獨斷與偏見尚在持續之中。

長野：供應統治之物，就是江南的米等糧食，這些供應中斷的話統治就會崩潰。在生活方面，也是吃在南方，因為南方的人可以自給自足，所以不會想到統治的事，竟成樂天的性格，這是我觀察中國所得的感想。

戴：從生活派來說是那樣，但從現實的政治經濟之機構來看，可以說透過統治北方在吸取南方，亦即與世界政治上的南北問題有共通之處。

劃一化與多樣性的中國

村山：把話題稍微轉回民眾感情（笑），覺得與我們腦中所想的有所差距的事，譬如北京西單的大字報，是適當的例子。對這件事日本人持有很大的期待，認為這件事可能促進中國的民主化。可是這種想法卻與他們尋常百姓的感覺不一樣，並未得到他們太大的關注。譬如在我們的工作單位裡，也沒有多少人去看。日本的媒體則報導說，這件事有可能預卜中國的民主化動向，在中國的日僑也有人期待著而特地跑去看。但是中國人，包括知識分子，卻不太關切，雖也有關心的人，但一般人並不關心。由於有過文革的經驗，認為如果又在自己的單位裡鬧起來，就吃不消了，所以認為當然須予以管制。關於這點我以為是保守化，可是一般的感覺又並非如此。

再者，有時被收緊，這樣做容易被認為是退步。可是那邊，我並沒有徵詢每一個人的意見，但是以一般的普通知識分子氣氛，認為若這樣下去會無法容忍而看不下去，就是說現今的年輕人有點過分，穿著奇怪的喇叭褲，髮型也奇形怪狀，而在眼鏡上也……

長野：就是在鏡片上貼商標！

村山：這樣子而得意洋洋，甚至有的只去買商標來貼上（笑）。大家都想這樣下去是不行的，非設法壓抑不可。我與年輕人溝通的機會較少，他們的詳情不得而知，但一般中年階層的總覺得需要稍加管制。一旦釀成這樣的氣氛時，也就是中央打出管制方針的時候，因而其間難免有曲折，但並沒有如日本所想像的，嚴寒的季節又要來臨了的感覺。

比方在電影等方面來說吧，男女親吻等的情景一出現，我們就以為中國已明朗化了，可是這個馬上就會定型化。電影裡，女的躲跑在前，男人就追趕在後，並以慢動作拍攝，接著鏡頭就變為模糊的花朵……，無論看哪一影片都是千篇一律（笑），大家受不了。文革時期只能看到樣板戲，如今談戀愛還是一成不變。大家都說如此作風有點過分，應該批判。因此並不認為是日本人所擔心的鎮壓。

戴：村山先生所講的，主要是關於都市生活者加上知識分子的話題，而長野先生看到日本人較少見過的長江沿岸農村地帶，並曾見了當地農民，想請教這方面的話題。

長野：可是，我不過是一介過客而已（笑），而且並非在當地從事野外調查工作。只是在四川時，看到農民有生氣地幹活而驚訝不已。

日後與同行的年輕翻譯交談，知道她是農民出身而在文革末期畢業於北京大學。我猜想她是因為思想與態度都不錯才能進入大學。她說，在學期間未能好好念書，還說：「長野先生，連農民在內，大家的臉色變好是1978年以後的事。」於是我說：「為什麼？是因為不能吃到肉類嗎？」她回答：「是的。」我記得當時認為「農民吃不到肉類這回事，表示當局管理相當嚴苛。」因為要增產糧食，以致飼料減少之外，還要交納一定頭數的牲口給上級。

因而所謂文革，到了末期，並非江青所惹起種種的問題，而在於農業生產的停滯。

戴：即農民對生產失去幹勁，加上大躍進以及急速的人民公社化運動吧。

長野：是的。另一位年輕女通譯則堂而皇之地明說：「就是農村政策的失敗。」她是共青團員。

正如剛才所提到，若以日本為例，都認為一則政令發出，全國就立即統一實施。但是在中國則行不通，雖然同樣是自由市場，也是各地各樣，無法劃一化。有的隨著當地的狀況而妥善為之，有的據地頑抗，拒不從命！

去年〔1981〕11月舉辦縣級選舉之際，在四川省內到處都貼滿了標語，連梯田的側壁也貼了，可是在同一省內的某縣完全若無其事。於是我就問：「縣級選舉的宣傳，做得那麼大，為何此縣沒作？」回答是：「因為中國太大了！」不用說，該縣尚未成立人民政府，還在原來的革命委員會之下。就是文革時期的當權者不動如山，不願放棄既得利權。如果是我當官僚，一旦到手的既得利權，也是不肯輕易放手。

村山：說得也是！（笑）。

長野：因此我認為現今的中國行政改革的確困難重重。一到江南，即可知道有許多地方還未受到人民政府的統治。其百分比到底有多少不得而知。就以選舉來說，與人民政府沒有關係。因此人民政府所發出實施縣級選舉的指令，我想也被地方政府抹殺了，令人覺得其前程遙遠。

戴：那就是劃一化與多樣性的正、負面要如何評估的問題吧！我想請教村山先生，關於中、日相互理解的可能性與困難，您如何判斷？

中國人的生活習慣

村山：關於這個可能性的有無，我想其關鍵在於雙方先確認互相不同的所在，並在於是否想加以了解。茅台酒再加上「您好，您好」、「我們敬佩的某某閣下」（笑），僅只如此是永遠不能得到互相的理解。如果對方是白人，因開始就知道有所不同，反而會努力以求理解。可是因為同是黃色人種，而且文字與文化上只是本家、分家之別，容易誤認為思考與習慣也是同樣。這是很危險的。比方以物價為例，日本人與中國人的想法就不一樣了。日本人認為若是同一物品，無論誰去買，價錢都是一樣的。但是在中國，例如火車的票價，就有一般中國人的票價、歸國華僑的票價，以及外國人的票價。而在我僑居時期，外國人票價還分兩種，就是在中國領人民幣的專家票價，以及外國人旅行者的票價，總共有四種。

戴：旅行者裡面，來自第三世界與先進諸國的也不一樣吧！

村山：哦，我就不知道了。

長野：就某種意義，也許是合理的（笑）。

村山：對這件事日本人抱不平地說：「為何有這樣不平等的票價？」對此中國人說：「服務的內容不一樣，而且個別的收入不一樣，當然票價也不一樣了。」（笑）亦即不僅是經濟法則，另有分配法則在作用著。也許社會主義就是這樣子，可是不只如此，可能還有傳統的東西吧！依據內山完造著書的記載，以前小孩去買一粒糖果很便宜，但是算「斤」大批採購時，價錢卻較高。對此內山解釋說，大批採購的人是有錢人，所以從有錢人多拿一點也無妨。總之自古以來就有這樣的想法。

戴：思維的差距確實很大。

村山：我想再說一則關於物品的價錢，這可以說是習慣問題吧。比方在日常交際裡，互相招待或被請客時，以日本人的習慣，即使交往很親密的，也不會問對方「今天的宴席花費多少？」可是如果是中國人，只要稍微親近的，就會問花多少錢，並說便宜或太貴等等，使日本人驚訝（笑）。其原由不知來自哪裡，到底是由於習慣還是想法的差異？

戴：兩者都有吧。

長野：我認為這種中國的感覺，就是歐洲式感覺。

戴：是這樣嗎？

長野：日本人本身是世界的珍奇人種，這樣思考的時候日本人才會有想理解他人的心情。因為我認為如果以自我本位來說的話，就會大家都不知道了。以此去看中國，中國的事情都無法理解。如果認為我們是珍奇人種的話……

村山：這樣比較容易理解吧！

另外，你走在街道上，如果你穿著西裝就不會被問，但如果穿著中式服裝，而手裡拎著剛買來稍微珍奇的東西，一定會被問道：「多少錢買來的？在哪裡買的？」假使反過來你問他的話，他也不會介意而告訴你。人家買來的東西，價錢的高低本來不關你的事（笑），但是時常看到友好的為價錢高低爭論不休！

長野：在湖北荊州，此地自由市場的討價還價真是不得了！買賣雙方你來我往，好像吵架一般。以日本人談價錢，也不會吵到如此地步（笑）。中國人想買，卻嫌貴等等，我們會想如果不合意的話，即可一走了之。可是中國人卻不然。心裡想買卻多多少少都要殺價，我想這還是來自求生的拚命程度（笑）。

村山：不錯，這是拚命程度。而且不只事關己而已，還要多管閒事（笑）。有時自以為占了便宜，得意洋洋地買回來，一被人說買貴了就洩氣得不得了。

長野：我們在自由市場想買什麼東西，如果賣方臉色表示不願意賣時，在一旁的中國人會說：「為什麼你不賣？這個東西以這個價錢賣掉吧。」（笑）在旁的人會交涉。

戴：不過，雖然一方面中國人在這種情形愛管閒事，但是在他人吵架時不會主動出面參與。日本人一聽到他人在吵架時，就會衝過去湊和。中國人可說絕對不會做這種事。

村山：中國人只是當觀眾。可是一旦吵架的一方出手，就會有責難的聲音，大家都是觀眾兼裁判（笑）。

總之，不同的事真不少，各有各的歷史、風土的由來，也可據以改進日本人本身。比方說在長江，往上游與往下游，船的票價並不一樣。

長野：是啊，往下游的比較便宜。

戴：那是當然，很合理呀！

村山：這個日本人卻搞不懂。

戴：因為只想到距離。

村山：我一說「這個不可思議」，中國人反而驚訝地說，為什麼不可思議。

長野：重慶的電梯也是這樣，上去較貴要四分錢，下來三分錢，老人則較便宜，上去與下來分別為三分與二分。拉上去費力所以要四分，下來稍微輕鬆要三分。

村山：還有罰金很有趣。譬如去動物園，擅自餵食的話要罰五元，有告示寫著金額。忘了是哪一處的車站，寫著站內的樹木：「摘葉要罰幾多錢，拔掉要罰幾多錢。」（笑）像這樣非常務實的作法，就是不一樣。

在公車門的內側，從下方一公尺處畫有標線。身高為其以下的小孩免費，以上的要付費，可說具體或務實吧。

但是，如果認為什麼都是實質的，那又錯了。相反地，也有可怕的形式主義。這點已經很有名，不用多說了，也是連中國人自己都感歎的事情之一。實質主義與形式主義，彈性與原則性……這些混在一起。也可說中國是「偉大的矛盾」。即使同樣是矛盾，日本的矛盾較簡單，馬上能懂（笑）。

長野：話題稍微轉換一下，四川的自由市場是最有活力的。

因而我曾寫了關於四川自由市場的詢問書而要求他們回答。隔了17天，臨回國三天前又去催促了一次。到了要回國那天一問，對方竟然說：「詢問書請再寫一遍」。我說：「那張詢問書是我徹夜寫出來的，而且再過幾小時我就要回國了，現在才叫我重寫，我認為這是侮辱，如果是中國人會如何？如果存心侮辱我，請說明為何要如此？」我並未嚴詞厲色地說，而是笑嘻嘻的。這下他們才開始慌忙起來，不久就有市府的職員來說明。

我就問了種種問題，才知道自由市場開放、關閉已經重複過多次。自由市場一被禁止，城裡的人只好騎腳踏車到農村去購物。這是政令無法管制的，一禁止就產生黑市。我問：「有了穩定的自由市場，社會生活上最為有利的是什麼？」他舉了二點。一是不必浪費時間，去市場省事多了；二是賣的人服務變好了。

村山：這個能夠了解。

長野：在文革的高潮期，自由市場被禁了，結果就產生黑市。但是，不管如何高唱革命，總要填飽肚皮。日本在戰爭中不知發出多少次經濟統制令，黑市還是產生，就是同樣的道理。因為此時這種政令都會被漠視。這在文革時也是聽說有的。

村山：是那樣吧。

長野：這樣一想，民眾要活下去，不管中國或日本都一樣。不能說因為是社會主義就怎樣，人要生存，只要在此次元就能理解。因此，雖然中國社會有許多不能理解之處，也有種種條件存在，但是，只要在人必須生存的次元來考量，就不難懂，這是我的想法。

村山：這點我同意。

有好人也有壞人

戴：提到現在已行將成為「過去」的中日友好運動，日本人的中國研究者，或是對中國持有親切感的人們，其對馬克思主義的理解，可說是一路透過以東京大學為代表所舉辦一系列的國立大學馬克思主義講壇而來的吧。雖然該講壇目前似乎已稍為衰微，但是也有過昌盛的時代。這些人對於中國一般庶民如何在社會主義關頭下拚命討生活，由於資訊的扭曲，無法具體地充分理解其現實下的真相。在這種連續線上對中國的理解，現在有一個問題吧！

還有一點，就是關於剛才村山先生所說具有第二次「清國奴」意識的人。這些人完全不知道飢餓。在某種意義，他們可說是無法與中國人共有同時代的歷史感覺，或者是尚未能共有的人們。也可說在最和平、最富裕時代中走過菁英路線的人，現在做為一流商社或廠商的駐在員，在中國生活著。在當地產生的鴻溝之大……。

長野：他們非經失敗不會學乖。

戴：另外還有一部分的人，脫離既有體制而有志於日本的革命，或是在日本似乎無望而寄望於中國。他們一路揮舞毛澤東之旗，歌頌文革。結果呢，現在發覺不是那麼回事而大失所望。想要將「民草」循一直線並一口氣升格為人民，對這種性急的作法依然不能自覺，似乎也有不少人就這樣過著失意的日子。這種鴻溝如何填補，是現在中日相互理解的新時間點上之問題吧！

那麼，今天的座談會還剩最後的話題，就是終極而言，所謂中日相互理解究竟是怎麼一回事。

村山先生曾體驗過戰前軍國主義時代的中國生活，也有最近三年半的生活經驗。長野先生的體驗雖然有較斷續的一面，但最近可算長達約一年，以長江的大主題中工作，親身經歷了普通人無法接觸的層面。這在某種意義上，您可說屬於少數的日本人，能夠有機會及「場所」與中國的庶民們總算共同擁有歷史與時代精神。而且在中日關係的歷史脈絡中能夠思考事物之世代，我視您為代表其良知的人。在此意義上，也想恭聽您率直的高見。

長野：我毋寧是從實際體驗中，不斷地問著是什麼而閱讀書本。一直在驗證合不合理，雖然說是驗證有點誇大其詞。在存疑的態度中，認為在文革期出現的論文，或該時期的《人民中國》都不能相信。因為我會思考想吃豬肉的人有幾億，不這樣想就能說些無聊的大話嗎……。在南京當俘虜的時候，看到我們只吃稀飯無法幹活而做飯盒給我們的人，是貧窮人家耶！當官的或有錢人是不會幫你做這種事的。

而在日本敗戰的七年前，曾有南京事件（1937年12月，日軍進入南京時，屠殺數十萬平民，加以掠奪強暴之事件）。但是他們卻說：「那些人不能放過。但是，你們可能是他們的子弟所以不曉得。現在遭逢此變，在此修道路、清水溝，為這個地方效勞，卻吃這種稀飯，動都不能動吧！」幹過身體勞動的人知道這點，才會給我們送飯盒。我認為所謂理解是這樣的事。就我們的情形而言，並非觀念。

但是，僅只如此也不行，光憑經驗來談是不行的，所以我認為多少要去研究而加以整理。這次我去的時候，也許有點感傷，很想對很小的孩童說：「努力做好四個現代化吧。」那些孩子們好奇心特強。他們想直接以自己的眼睛來確認，鑽入談話的二個人之間，望上凝視著。他們的表情不是電視上或其他地方可看到的，那是無法形容的。當時我拚命想說：「日本人也不全是壞蛋。」也就是說日本人也有好人與壞人，中國人也有好人與壞人。那個通譯說：「他們教我日本人的規矩很好，後來知道其實不然。有一個日本人非常無禮。」這是當然呀！是誰告訴他日本人全部都規矩很好？有好人也有不是那樣的人，中國人也是一樣吧，我如此告訴他。

村山：總之，還是回到那個地方。

長野：亦即所謂相互理解，我想也只有那樣。

戴：長時間座談辛苦了，多謝。

本文原刊於《日中経済協会会報》第108號，東京：日中経済協会，1982年7月，頁4～17

有想了解中國的文教族*嗎？

◎ 陳仁端譯

問：做為台灣出身的中國人在日本生活了27年，你怎麼看教科書檢定問題？

戴國煇（以下簡稱戴）：相關方面的辯解使我驚訝。我不太喜歡在意識形態上區分右或者左，不過想改寫成現在出現問題的表現的，是屬於鷹派或者說是保守派中屬於右的人吧。可是，日本傳統的右翼如果是戰前的話，就會負起責任向天皇謝罪，他們強調這才是日本性格的生活態度。但是，這次改寫後的態度並不乾脆利落。負責任的方法與日本主義者是相當異質的。

問：保守派是在與日本教職員工會對策的關聯上提起教科書問題，所以好像來不及考慮到外國人會怎麼想吧。

戴：基本上教職員工會對策是日本的內政問題，不是我們外國人可以說三道四的。在某種意義上來說，這是兄弟鬩牆。可是，在無意中吵架的結果影響到對外關係的時候就開始驚慌起來了。事情弄到這個地步，也是因為輕視其他民族感情的結果吧。

---

* 指日本從事文教工作者。

日本人，尤其是保守的人往往重視「心」的問題，說「理解對方的心情」。可是這一次卻沒有考慮到鄰人在想什麼。「站在別人的立場來想」是日本人很重視的處世之道，從小孩時就受這樣的教育。可是一到民族的、社會的層次就被忽略了。說把他人的痛苦當作自己的痛苦的時候，這個「他人」是指日本內部的他人吧。最近寫著「支那蕎麥」字號的店開始出現在街上。「支那」這個詞語在歷史上怎麼樣被使用，鄰國的中國人看到這個詞語會有什麼樣的印象，日本人可曾理解？我想不應該使用會引起朋友的不愉快感的言語才對。

問：聽說你在初中二年級時在台灣迎接日本的敗戰，日本統治下的教育是怎麼樣的？

戴：「蔣介石是怯懦的壞人」、「因為中國腐敗墮落，所以日本人代它建設滿洲國」、「台灣是有很多瘧疾和風土病的貧窮野蠻的地方。日本人來這裡把它很好地開發起來」等，是受了這樣的教育。當然不會是「日本在台灣做了壞事」，而是「使台灣進步」這樣的教法。

問：那樣的想法，你認為在戰後的日本已經被一掃而光了嗎？

戴：這一點，做為社會上一般的觀念是在朝鮮的確做了壞事，在台灣則沒有，這種心態現在還存在。與我個人之間很親密的老師裡頭也有這樣想的人，這使我吃驚，是非常令人困擾的事。本來就不可能有什麼好的殖民地統治。我覺得這種認識還沒有紮根於全體日本社會。

繼續追究納粹的西德

問：企圖加強教科書檢定的那些人似乎不願意承認軍國日本犯下的錯誤。

戴：自己的祖先或前輩所做的事情客觀上看起來是壞事的時候，要接受這個事實並且與此事實正面對質，這對任何人來說都是痛苦的事。可是，揭露民族的內在問題才是民族復甦之路，這是很平常的公理。從這個意義上來說，西德是做得比較成功的。他們不斷地在追究納粹的罪責。而且，施密特（Helmut Schmidt）首相在奧斯威辛跪下來代表德意志民族謝罪。這當然博得世界的稱讚。

問：你認為日本人本身所做的近代日本研究怎麼樣？

戴：在東京大學的時候，使我感到最驚訝的是，殖民地問題在馬克思經濟學派裡占的比重太小這一事實。特別是對台灣，幾乎不把它當作一個問題。至少戰前的資本主義國家擁有殖民地，因此，研究資本主義的發展也好衰退也好，以馬克思經濟的用語處理時，不應該忽略殖民地問題才對。尤其台灣是近代日本最先派兵並據為殖民地，從事殖民地統治實驗的地方。但是日本的學者們幾乎不做這方面的研究。這樣的話，日本的近代史會變成怎麼樣？基本上我有這樣的想法。

問：在日本國內雖然思想上有所不同，可是從外面看來還是一樣的，是這個意思嗎？

戴：明確地說，還是同根的。土壤是相同的吧。由於相信自己是單一民族，所以很難具備複雜性和多元性。具有不容易留意到異質的人和異質意見的存在這樣一種傾向。

問：就算如此，可是在教科書問題上國內有激烈的意見的對立。

戴：我認為有強硬主張修改教科書的一群人或政治家存在，這並不是什麼大了不起的問題。問題在於大家都沒感覺修改教科書哪裡奇怪，特別是在近四、五年來這種風潮急速擴張起來，這才是重要的問題。對於這種風潮，日本史的教師和教科書的編纂者到底怎麼想？這種意見不大出現，是不是？

思想進步的人也不大發揮作用

問：有一種意見認為撰文者的立場很薄弱。

戴：有生活上的問題，也有關聯到出版社的商業化的問題，所以執筆者的立場很微弱，這不是不能理解。但是，在執筆者或學者、知識分子來說這是自己的思想問題吧。因此，面對中國、韓國等提出的抗議展開嚴正的辯論，或者辨明是否進行自我約束，努力使一般民眾或者包括我們在內的亞洲的人們理解，這也是很重要的事吧。可是到目前為止，連思想進步的人們似乎沒有發揮校對者的作用。

問：想要改寫教科書的人們，看起來似乎很強烈地意識到民族主義。

戴：大和魂和武士道在戰時很不幸地被利用於對外行動。民族主義跟狹隘的國粹主義結合在一起。因此在戰後的日本，對民族主義具有一種拒絕反應，很少觸及到民族主義。但是任何一個民族或個人都有在自己心裡確立認同——也可以說是民族主義——的欲求。進步的人們、想守護戰後民主主義的人們還不能很好地重新組合這種做為自然欲求的民族主義。另一方面，右翼的人們也開始玩弄民族主義，但是沒有注意到它對對外關係的影響。

問：「侵略」這個詞語開始從教科書消失是十年以上的事。為什麼不在更早時候抗議？

戴：中國想借助日本來實現近代化。執政者想盡量和日本保持良好的關係。現實的政治家總是容易只注意到目前的利益。可是，事關民族之間的相處問題，應該互相把事情明確說清楚才好。本來，所謂的文教圈裡很少有跟中國好好交往過的人，從而產生感覺上的偏差是有可能的吧。

問：關於日本人和中國人相處的方法，你是怎麼想的？

戴：我們對做為鄰居的日本人，是怎樣向他們年輕一代的人教育過去他們與亞洲的關係，在教科書裡該怎樣寫進去，我們抱著很強烈的關心。我想日本人對外國也抱著同樣的感覺。日本人和中國人是不是繼續保持著某種冤家的關係呢？還是更好地互相建立共識，構築真正的善鄰友好的關係？現在已經是必須下決心的時候了。因為個人住宅的話還可以搬家，但是國家是不可能搬家的吧。

（採訪者：本刊兒玉哲秀）

本文原刊於《朝日ジャーナル》第1229號，東京：朝日新聞社，1982年8月27日（增大號），頁10～12。爲「『教科書』につまずいた自民党」（因「教科書」踢到鐵板的自民黨）特輯內文章

思索1980年代的大學：亞洲與日本

——思考今後日本的大學任務座談會

◎ 李毓昭譯

時間：1982年8月5日

與會：川田侃（上智大學教授）

櫻井雅夫（青山學院大學助教授）

戴國煇（立教大學教授）

山田辰雄（慶應義塾大學教授）

主持：鳥羽欽一郎（早稻田大學教授）

鳥羽欽一郎（以下簡稱鳥羽）：今天要談論的主題是「亞洲與日本」，尤其是今後日本的大學任務。日本在明治之後快速走向近代化，極力想要盡快成為獨立自主的近代國家，於是在學術、文化、政治、經濟等所有領域上，採取跟西歐學習的態度。這麼做沒什麼不好，成效也相當大，才會有現在的日本。可是，日本卻在另一方面忘了亞洲的諸多國家，直至現今依然如此。近來在亞洲各國「向日本學習」的呼聲愈來愈大，日本有義務回應這樣的聲音，但我們留神去看，就會發現日本連這一點也在怠慢行事，完全沒有備齊回應這種聲音的條件，處於不知如何是好的情況。但由於非得對此狀況做出些事不可，各大學正在拚命摸索如何接納留學生、給予他們什麼樣的教育，以及要產生什麼樣的效果。

所以今天要針對日本對亞洲各國的角色，以及大學，尤其是私大要如何回應的問題，請大家提供意見。

亞洲各國對日本的期待

鳥羽：我要先從這個問題切入。以東南亞為例，各位都知道，新加坡以前有很強的反日心態。我以前待過馬來西亞，那裡對日本的觀感委實不是很好。然而，最近「向日本學習」的運動在新加坡推行得很熱絡。馬來西亞首相馬哈迪也主張Look East——不只是日本，也包括其他亞洲國家——開始調整對日本和其他亞洲國家的看法，而不是一味向歐美看齊。在這種趨勢下，亞洲各國對日本有更多期待，派出的留學生也在增加，中國也有同樣的情況。為什麼會有這種情況呢？這裡有令日本人吃驚的地方，能不能先談談這方面？

川田侃（以下簡稱川田）：如您所說的，確實近來亞洲人對日本的期待正在升高，也在許多具體的事例上出現。

最近外務省有一位人士對我說，馬來西亞政府有某位高官想讓小孩來日本念大學，但是小孩不會說日語，所以希望他能夠念用英語授課的學校，而在調查後發現上智大學市谷分校的比較文化學系不錯，想要知道我的意見。

以前東南亞國家通常會送小孩到歐洲或美國留學。近來雖然人數不多，但開始有人想要讓小孩來日本念書，而不是歐美國家。這對我們來說雖然值得高興，日本的大學卻還無法因應這種要求。針對這樣的呼聲準備足以因應的結構是目前很大的課題。

還有，在亞洲人開始向日本學習的時候，日本人雖然慢吞吞的，卻還是逐漸顯出非向亞洲學習不可的態度，我認為這一點也很重要。日本在古時候就有向中國學習的心理，現在也開始把眼光轉向其他的亞洲國家。

以我任教的大學為例，早在前校長畢道（Giuseppe Pittau）先生的時代，設立「亞洲文化研究所」的趨向就已成熟，而在今年四月開始以少人數開課。這個研究所的目標有兩個，一個是學習以菲律賓、印尼為主的東南亞歷史與文化。另一個目標是研究伊斯蘭文化圈。日本至今對這方面的研究都還很淺薄，我們想要推動這方面的研究，以後也要教授阿拉伯語和波斯語。這雖然只是上智大學最近的願望，但日本這邊和亞洲各國人民的期待都愈來愈高，想要加深彼此的交流，因此建立體制是我們今後的課題。

鳥羽：戴老師，談到對日本的期待，具體而言是哪方面呢？

戴國煇（以下簡稱戴）：我想先談一件事，就是日本人在明治之後向歐洲學習，努力想要追趕、超越的態度和行動，以及現在例如新加坡、馬來西亞和中國大陸的四個現代化政策中，都有向日本學習的傾向。我認為最好不要做無媒介的單純替換。雖說同樣是學習，主體的心理結構並不一樣。

日本雖然遭受黑船威脅，或是在短期間受到不平等條約的壓迫，本質上並不是歐洲的直接受害者。很遺憾的，亞洲就不一樣了，近代日本和亞洲的關係是有不幸歷史的長期累積的背景。亞洲人是背負著這種歷史「重擔」來向日本學習，這一點千萬不能忽略或輕視。是不是應該先去了解亞洲留學生潛在的這種曲折的心理，再去談如何因應呢？日本有許多人士在討論時都太草率，單純地用「學習」這個中性的詞語來替換，而性急地議論，其實是應該注意的。

新加坡、馬來西亞或中國大陸等亞洲人「向日本學習」的姿態和動向，在目前是以政府層次的發想為主，與現實中的政治或經濟運作有關，主要內容是執政者揭舉口號，向大眾呼籲。戰後的日本在經濟上達成奇蹟式的發展，而且在兩次石油危機時都特別靈活地安然渡過。我想應該就是這一點吸引了那些亞洲人。

我接著要提出兩個一般善意人士容易弄錯的地方。第一個與「學習」有關，我們習慣認為「學習」的對象是「老師」，所以值得尊敬。第二個是經濟援助，在語感上就有等同於施恩的味道。

因此整個社會不斷出現不應該有「既然是尊日本為『師』，乞求援助之恩，過去『負面』的歷史當然就應該忘記」這種說法，或是說有某種不要有這種說法的「善意」設想。這似乎是把不同次元的問題的「善意」弄錯，以為不論是鄧小平、李光耀，還是馬哈迪都要向日本學習，所以他們都撇開過去不幸的歷史不談，把過去的事情拋在腦後了。如此可能會以為可以不必在意過去，或是弄錯了問題的次元，很容易產生誤解。最好是釐清裡面的邏輯，才去思考「期待」這個次元的問題。

說到對日本的期待，我認為留學生對日本的大學並沒有那麼大的期待。依我27年的旅日經驗，老實說，必須先把日本和亞洲兩方面的問題分開，然後去思考兩者的關聯。亞洲這邊說穿了就是現今仍是近代主義的囚徒，優先考慮歐洲或白人的價值。因此，留學日本的是二、三流的留學生，學生自己、出身的社會和國家也多半如此認定。

接下來的問題是日本的接納制度。這與日本整個社會有關。目前的情況是日本社會對大學的期待並不高。

一般而言，日本的大學，尤其是大學部，社會一般所期待或想要利用的與其說是教育，不如說是做為篩選機構。有了畢業證書就能進入企業，企業再花兩三年補充他的能力，才能使他成為獨當一面的「齒輪」。可是留學生並沒有這個機會。能留在研究所裡面還算好的，不能留下來就慘了。他們雖然有畢業證書，卻還不具有「實力」。等著他回國的社會和國家不了解這中間的情況，就會對日本留學生產生「無能」、「廢物」的印象。

支撐日本社會的大學教育系統是所謂的「成套」，在連動的情況下發揮功能。可是留學生終究只能或只會在「做為外人」參與一小部分。不充分了解這中間的情形，就會產生很大的誤解。在此意義或許不接受大學部留學生會比較好，既然要接受，就應該考慮讓他們有機會在畢業後去企業實習。

何謂「向日本學習」？

鳥羽：戴先生提得非常好。聽到「向日本學習」、「向東看齊」，日本人是不是就都喜滋滋的，以為過去的事情可以一筆勾消了？

我其實有這樣的看法。新加坡還是馬來西亞或許真的有意「學習」，但那只是口號，真正的意思應該是要持有亞洲人的身分認同吧？也就是把國民之前過度向西歐看齊的目光掉轉過來，這麼一來，就完全與把過去日本所做的一切歷史事實勾消的意思不一樣。弄錯這一點，問題會很大。像這次的教科書問題，或許就是源自於這樣的誤解。

有一個問題要請教的是，日本的教育制度很不受信任嗎？

戴：這麼說是有點過頭，只是因為社會制度不同，對亞洲國家無法以尋常的方式去因應。這是個難題。日本的大學制度關係到整個社會，不可能因為大學制度不好就要馬上改變。現實的問題是，日本對留學生沒有畢業後的照顧。之前是基於福田前首相當外相時的發起，開始邀請返國的留學生重訪日本，有國際交流基金會舉辦的Refreshment等畢業後照顧的活動，但目前加強符合於大學畢業生個人能力的措施是不足的。就這一點來說，不是不信任，而是亞洲那邊不清楚日本的制度就輕易開罵，或覺得「日本的大學怎麼這樣，只把我們的子弟教成這種程度？」這裡的情況最好能指出讓他們了解。

鳥羽：因此讓他們來日本看看讓他們了解是很重要的。

山田辰雄（以下簡稱山田）：我認為我們如何去看待「向日本學習」這件事非常重要。今天的留學話題在廣義上是文化交流的一環，進行文化交流時，除了要考慮給對方什麼之外，對我們來說，比較重要的是能夠學習到什麼。本著這個基本態度，我想要舉一個正好在上課時碰到的例子來說明「向日本學習」這個問題性。

閱讀歐美書籍在日本大學中的比重非常大。尤其是在研究所階段，經常要看英文、德文或法文書。留學生在自己國家當然也看得到這些歐美書籍，或是有同樣在閱讀這類書籍的立場，或已讀過。可是他們來日本是為了學習日本的東西，卻是在念美國書（笑）。這是實際會發生的情況。

這件事的意義是什麼？依我的領域來說，政治學、國際政治學這個領域基本上是以歐美的框架建構，所以我們在某種程度上具備了解歐美學術的框架，卻不具有了解非西歐文化的框架。我們在這種情況下接納亞洲留學生，不只是怪異的讓他們透過日本人去學習歐美的學問，也在不具有了解亞洲的框架中，在了解亞洲的口號下接納留學生。這種精神狀態在日本的大學裡面很普遍。我們自己是不是應該先意識到這一點呢？我認為這是此次問題討論的出發點。

櫻井雅夫（以下簡稱櫻井）：東南亞國家為什麼會說出「向日本學習」、「向東看齊」這種話呢？我認為原因如下。

東南亞國家大致上都曾經憧憬、羨慕過歐美，想要向歐美學習。那時會去憧憬那邊的高水準經濟和工業是順理成章的，而且基本上，也抱著想更了解歐美文明和社會的心態。後來日本在經濟方面趕上歐美，特別是在工業的發展上，尖端的電子技術突飛猛進，才會使他們想要「向東看齊」、「學習日本人的勤奮」。雖然他們開始注意日本物質文明的發展，可是很遺憾的是，還沒有產生想真正地了解日本現今發展的基礎，也就是日本文化或社會本身的氛圍。這是東南亞國家對歐美和對日本的態度有所不同的地方。

這裡有一份資料可以參考。亞洲經濟研究所（隸屬於通產省）於昭和47年9月，對63名住在東京、大阪的日本國際教育協會宿舍，就讀大學及研究所，而且來自東南亞13國的公費留學生（領日本政府文部省獎學金的學習、研究者）實施問卷調查，結果發現回答「因為自己的主修領域在日本的水準很高」、「因為日本在戰後的發展卓越」和「因為想要學習日本技術」的人數加起來占整體的42%。而只回答「因為有獎學金」的人數高達25%，讓人耿耿於懷。其中回答「因為日本的水準很高」的學生有80%是主修理科，這一點就讓人放心不少。

從那次調查到現在已經過了十年，不知道同樣的調查再做一次會得出什麼結果，恐怕會是「對日本的技術發展非常有興趣，想要學習，也順便想稍微了解其根基，也就是日本奇特的文化和社會」。

如果是這樣，就可以得出一個簡單的結論，那就是東南亞國家對日本的關心幾乎是集中在GNP顯示出的日本卓越的發展。

日本大學應有的狀態和做學問方式的問題在哪裡？

川田：剛才山田先生指出一個很大的問題。日本在研究所階段，除了文學系等研究日本的系所之外，都要念英文、德文或法文。雖然念的是日本的研究所，卻要面對這種情況。但這也不是完全沒有意義，有些地方還是能順利運作。以我最近遇到的例子來說，有個學生叫洛馬納，他是在六年前從菲律賓來的，現在已經是德拉薩大學（De La Salle University）的副教授。今年〔1982〕4月他就可以取得我們大學的「外國語學研究科」文學博士。他剛來日本時，因為英文不錯，我曾建議他去美國念書。他念的是國際關係論，對他來說，美國的國際關係英文書籍比日文容易許多，我勸過他很多次，他卻很頑固，說他絕對不要去美國。我有一陣子也不知道該怎麼辦，幸好他考完博士學位的資格考試時，三鷹市的國際基督教大學就聘他當助理，他就在兩年的任期中寫出論文。他在日本留學時注意到，菲律賓有nation這個字，討論的也不少，卻沒有state的概念，而這在日本是有的。他對這一點產生興趣，而在學習「國家」論的過程中，得以探究到英國、德國等地的國家論，藉此找到留學日本的一半價值，也多少利用英文和日本的文獻，用英文寫出與菲律賓的國家論有關的博士論文。論文審查時，不僅有上智大學的教員，也有東大的老師加入，因為夠水準，所以他取得了博士學位。

多虧國際基督教大學在洛馬納結束研究所課程後給他助理的職位，才能有如此圓滿的結果，我非常感謝。大學就是要這樣互相聯繫，珍惜優秀而認真的留學生。只要願意去做，還是做得到。研究所念完以後，如果沒有後續的照顧，真的會很頭痛。

戴：日本社會的制度對留學生不能適用。留學生在這種情況下好像懸在半空中。

川田：對洛馬納這種達到學術水準、又拿到博士學位的人，日本也有許多大學跟他招手，可是我跟他說，好不容易在日本獲得豐富的成果，就不要「人才外流」，希望他回菲律賓去教育年輕一代。他也很有心，而且很幸運的在菲律賓排行第三的好學校

De La Salle找到準授教這個不錯的教職。可是像洛馬納為什麼要來日本，我真的搞不懂。他雖然是菲律賓國立大學畢業的，但無法在那個階段學好日語。上了研究所之後，要念的書籍難度高，想要充分發揮自己的能力，就只能用英文——山田先生丟出來的問題應該會在今後留存很久。

山田：其實這也是被質疑日本明治以來做學問的方式。我必須承認，我自己也身在其中。可是以後在思考做為文化交流一環的留學問題時，至少要修正日本做學問方式的方向在現實的我們做為學術成果呈現需要一段時間。但如果沒有意識到這一點，彼此的理解大概不可能吧。

日本大學具有國際性、學術的自主性嗎？

鳥羽：大概是去年秋天吧，我見到馬來亞大學的校長溫古阿杜阿茲斯（Ungku Abdul Aziz），他讓我想起曾在馬來亞大學教學一年半的時日。大概是在快回國時，我曾問他，你在早稻田留學時最大的收穫是什麼？他立刻回答：「武士道。」（笑）也許他到現在依然這麼想。他的意思或許是去日本不是要學習什麼技術，而是為了學習日本的社會制度和精神之類的東西。可是，就像剛才川田先生說的，在日本的大學要閱讀英文或法文文獻，既然這樣，還不如去美國或法國念書。沒有人會認為留學生來念書的目的是為了學那些。首先是沒有指導的制度。如之前戴先生所說的，雙方的制度不同，雖然不是壞事，但是會格格不入。反過來說，就是日本的大學不具有國際性。

山田：關於這一點，我認為不是有缺乏國際性的問題，而是日本的學問欠缺自立性。

川田：我也認為語言和文獻的問題不可能馬上解決，這是無能為力的。洛馬納再怎麼用功也無法徹底學好日語，這也是無可奈何的。所以我覺得以後日本的大學有些課用英文上也不錯。比較重要的是，日本人要和亞洲人對話，就必須去學習更多亞洲的事。我任教的大學目前雖然做得還不夠多，但已經在教授菲律賓語和印尼語。這不是學科，只是有這些課程，以後會再增加柬埔寨語、阿拉伯語、波斯語等，而且不只是語言，也必須學習歷史、文化、藝術，再教給學生。我認為用國家經費經營的國立大學應該設立更多像東大「東洋文化研究所」之類的機構，只是國立大學的西歐志向也不容易調整。私大雖然比較有彈性，但是沒有經費，早稻田和慶應從以前就有這方面的努力。私大在財務困窘的情況下盡量去擴展亞洲研究是很重要的。這樣子就算和亞洲人用英語交談，也能加深理解，亞洲人來到日本之後，應該也會覺得日本人對亞洲的事情居然懂得不少，而對日本重新評估。

戴：我想山田先生提出來的問題非常重要。我向來覺得很有個性的事物通常很容易連結到普遍。從這個邏輯來看，政治學的古典名著如果是英文書，留學生對閱讀英文書並不會有抗拒心。當然，可能會有閱讀方式的問題……。

山田先生指的或許是明治以來尾大不掉的問題，學界依然到現在還在喜滋滋地將沒什麼了不起的英文文獻做為「原書講讀」的情形持續著。留學生對這一點會感到訝異，覺得自己為什麼要來日本念這種東西，當然會產生懷疑。很奇怪老師之中有山田先生所指摘的，讀他們的論文也常有不知為何要引用英文文獻的疑惑。學術論文不列出許多英語文獻，就不會受到肯定的風氣雖然緩和許多，但還是沒有消失。留學生來日本留學是為了尋求亞洲的認同，馬哈迪、李光耀追求的也是這個，才會提出「向日本學習」的口號。我想這件事是要先確定的。如果要同時引用山田先生的邏輯，日本的學界會因為接納亞洲留學生，而去思考如何確立日本學術的自我認同。在這樣的連動下，我想才會出現學術交流的成果。

「語言」的問題和日本人自身有問題嗎？

鳥羽：交流時語言是最重要的。剛才談到研究所都在看英文書、用法文書，確實是這樣，但是那只是閱讀而已，說話、書寫還是堅持使用日語。有相當多的學校不能用英文寫報告，博士論文就更不用說了。所以首先要問的是，為什麼日本人要堅持用日語呢？不能用英語教課嗎？究竟要堅持到什麼程度？語言確實包含著文化，要學生學習語言是很好，但日本人是否在這個地方過度執著呢？或者日本人能不能多用英語教學？日語一直都是很大的障礙。各位對這個問題有什麼看法？

川田：很多像東大之類的國立大學，也都規定要用日文寫博士論文，否則不受理，但有些研究科目或專攻領域可能例外。

鳥羽：我任教的地方也是。我的學系好不容易可以用英文寫碩士論文了，幾年前才開始的。博士論文還不行。

戴：我想要從相反的角度去看問題。剛才各位先生的談話聽起來帶有一種謙讓的意味，也就是日語很困難，因為是孤立的語言，所以會構成國際交流的障礙。可是日語真的很困難嗎？我覺得這一點需要重新思考。其實這和山田先生提出來的自立性有關，因為出席與日本研究有關的國際會議時，日語講得很好的人不見得都是韓國人、台灣人或「華僑」。有些美國人或白人也講得很好。為什麼呢？來日本留學、研究日本的人多半抱持著明確的問題意識。對他們來說，日語不見得很困難。

我和唐納德・基恩（D. L. Keene）先生一同參加文部省的委員會時，聽他提到一個非常有趣的經驗。他有一天搭新幹線時，用日語問旁邊的日本人問題，那個人卻不斷結結巴巴地說：「I'm sorry, I can't speak English.」（笑）基恩先生就說，我是用日語問你……真是令人大笑，這是一開始就害怕英語的實例。看到對方是白人，就把心門關上，採取過度防衛，這種擬似單一民族思考造成的小插曲。

因為漢字是共通的，或台灣以前曾受日本殖民地統治50年，朝鮮半島則有36年，在一般人的印象中，台灣、韓國、「華僑」等方面的留學生日語說得很好。但是依我粗淺的經驗，其實並不見得。基恩先生或許說得特別好，但是我所認識的研究日本的白人也都很會說日語。我覺得我們不能忽略了「心」的問題，也就是有沒有問題意識或幹勁。不要一開始就認定日語很困難是不是比較好？

鳥羽：我也有同樣的經驗。我教留學生已經有一段時間，有個國際扶輪社送來的美國學生來我這裡，他才在國際基督教大學上了一年日語密集訓練班，就講得很流利，東南亞的學生來了兩三年也沒那麼好。這應該是他們的意識的問題。

戴：有些學生覺得學了日語也沒用，會來日本留學只是因為日本文部省給他們獎學金，這也許是有點曲折的心態因而就不會對語言有親近感。何況學了日語，回國之後就用不著了。如果一開始就想到對增加薪水沒有幫助，有機會還想再去美國、加拿大或歐洲留學，就無法定下心來學習日語。所以川田先生的學生是非常好的例子，如果有更多這樣的人就好了。

川田：我覺得在語言方面，日本的大學不要太自閉，應該要更開放。能用日語寫的留學生就用日語寫，可是用英文寫的論文我們還是能夠審查，又何嘗不可呢？用德文、法文寫的話，也許有能力審查的教員很少，但是以洛馬納的例子來說，上智的外國語學研究科可以自由選擇，論文要用英語寫也沒問題，只是最後的口試全部要用日語。口試時雖然老師連番提出艱深的問題，洛馬納總之全部用日語回答。所以我想還是要依情況，有彈性地因應。

要學習亞洲，以亞洲為研究對象時，日本有一個問題，例如在研究印尼時，日本人會先去康乃爾大學，而不去印尼，這樣可能比較有效率，但真的需要多採取到當地學習的態度。當然年輕一代的學者去當地求學的意願或許比以往強，這一點是非常重要的。

戴：川田先生剛才說的是日本「近代」的一個特性。舉例來說，別的國家不會有高爾夫練習場（笑）。這是想要在極短時間內提高效果的心態。通常打高爾夫球是要在球場上享受學習的樂趣，日本人卻不一樣。

我們看通訊社、報社，也是在近十年才設置亞洲總局，之前都要透過Big 4的UPI、AP、Reuters、AFP等機構，也就是把歐美眼中的亞洲借來當成自己眼中的亞洲。老實說，日本記者幾乎沒有人會說菲律賓話、印尼話或馬來西亞話。亞洲經濟研究所裡面也頂多只有幾個專家，其他什麼都沒有，這樣子要如何寫出報導呢？一般不是利用當地的英文報紙，就是僱用「華僑」助理，以晚半天或一天的方式向總社送出訊息。而這至少是透過日本人的頭腦送出來的報導，跟以前完全仰賴Big 4的時期比起來已經好很多。可是沒有用當地民眾的語言採訪，與民眾對話，去體會民眾的情感，就很難寫出深入的報導。日本人大概還需要一段時間，才能夠用亞洲人的眼光去看亞洲吧。就這一點來說，我很希望山田先生提出的自立問題，能因大力宣揚而廣受矚目。

川田：我覺得年輕的一代已經多少有所改變。去年我參加新渡戶獎學金審查會，感覺日本的年輕一代變積極了。譬如有人會先去法國學習非洲的事，然後又辛辛苦苦跑到埃及相當鄉下的地方做研究。有這種經驗的人增加了。

還有，剛才有人提到阿茲斯先生，我兩三年前見到他時，就聽他說過，日本人老想著指導留學生這一面，可是日本的年輕人才是需要來吉隆坡，在他們的大學學習馬來西亞的事務，不是嗎？馬來亞大學是歷史悠久的大學。馬尼拉的亞德雷歐大學（Ateneo De Manila University）也是一樣，在亞洲也有很出色的老大學，日本人也需要去亞洲留學念書。只是要這麼做，就不能不考慮回日本以後的好處。

戴：美國的日本學者、中國學者，就我所知，中國話和日語都很流利。與他們接觸時，就會覺得情況和十年前差很多。四年前，他們來找我要資料時，通常是用英語要求，這時我都會請他們自己帶翻譯來，因為我能夠溝通自如，能夠用來討論的語言是日語和中國話。只說英語的服務，對不起沒有。他們的態度已經改變很多。以前我會很不愉快，雖然沒有說出口，但都會覺得：「你們這些傢伙有事情拜託我，卻要強迫我說英語，好沒禮貌。」日本的老師對講英語的這種白人大概太寬容了（笑）。但美國研究學者的態度愈來愈好，讓人佩服。

櫻井：關於剛才提到的，用外語給留學生上課的事，相關人員必須更努力去改善或充實外國留學生的日語教育。另一方面，我們對日本學生都是用日語上課，外語教育還是談不上有效率。如果大學部繼續對外國留學生（以及海外歸國子女和部分日本學生）用外語上課，而對幾乎所有日本學生都用日語上課，大學會分裂成兩個部門，整個大學就無法變得「國際化」或「亞洲化」。大家對這方面有什麼看法？

可並用日語、外語講課與交流嗎？

山田：櫻井先生提出來的問題非常重要。也就是說，要如何看待日本的大學裡面同時有用日語和用外語上課的情況。我認為從廣義上來看，這是文化交流的一環。如同川田先生說的，接納歸國子女和留學生等於是使不同文化背景的學生對日本學生造成衝擊。我認為最好能夠並用外語和日語授課。

舉個例子來說，我們學校設有外國研究講座（美國講座和加拿大講座），和日本研究講座，全部用英語上課。留學生一直都在為日語傷腦筋，能偶爾聽到英語授課也會感到安慰吧。而如果課堂上也有日本學生，這個效果就不只是語言而已，以這種方式得到的文化衝擊也值得肯定。大學必須擴大這樣的授課方式，接受更多留學生、歸國子女才行。

鳥羽：只是要並存真的很困難。上智大學的比較文化學系或許也是這樣，早稻田的國際部也有設限，另設名額接納留學生。兩者很難放在一起，所以日本學生去聽課也拿不到學分。

山田：我們學校會當成正式的學系學分。譬如我們把美國講座列為政治學系地域研究的正式學分。

川田：上智大學有用英語上課的市谷分校和用日語上課的四谷分校，除了地理上的障礙之外，最大的問題是市谷分校是採用美國的學期制，所以雖然可以交換學分，但實際上很難運作。當然市谷的學生可以來四谷參加研討性授課會（seminar），在那裡取得學分，但學制差異還是會構成阻礙。

山田：我們的法學系政治學科的情況特殊，所有專門科目都採用半期制，所以不管怎樣都可以選修。

川田：基於日澳文化協定，有澳洲老師用澳洲的經費來日本，在東大、津田塾、上智等大學用英語講授有關澳洲的課，地點就在四谷分校，市谷和四谷的學生都可以參加。四谷的外國留學生也來了很多人，但都是想要用日語學習的美國等國的外國學生，市谷那邊的外國人學生是希望用英語念完日本的大學或研究所。情況有點複雜，也許不要分得太清楚比較好。

山田：雖然同時並用日語和外語授課比較好，但要各學系自己去做是很難的。我們學校採取的方式是設置國際交流中心為國際交流的窗口，負責編製課程，再發通知給各學系，表明我們有這些課，能不能授予學分，各學系就會去認定選修或必修的科目。

川田：關於派學生到外國，也就是交換留學的制度，上智是以美國居壓倒性多數，現在一萬名學生中，每年都有幾百人出去。最大的問題是上智大學要認定他們在外國大學取得的學分到什麼程度，目前是決定認定30個學分，但計算方式有點麻煩。舉例來說，如果是在菲律賓的亞德雷歐大學取得的學分，就要依那邊的上課時數是兩小時還是一個半小時來重新計算。而與美國各大學都有許多交換留學的制度，與莫斯科大學卻沒有。如果沒有，學生就必須休學才能去，學校也無法承認那邊的學分。

山田：在這方面，我們學校的作法是，有交換學生的地方當然維持原狀。沒有的話就在學系設置學習指導員，由他依權限來認定在無交換協定的外國取得的學分。

研究所層級的留學生問題

鳥羽：前面我們一直都是討論一般留學生，但我認為實際上應該要分成大學部和研究所這兩種不同的層級來思考。馬來亞大學的阿茲斯先生也說過，應該要把大學畢業的學生送去日本念研究所。東南亞已逐漸有這個傾向。

此後討論時，要把大學部的學生教育和研究所層級的問題分開。剛才談到的交換等事情，大致上都是指大學部，研究所還很封閉，談不上有什麼制度。大學部比較有學生交流，而研究所接納留學生的情況如何呢？

舉個讓我有點困擾的例子，我被學校當成了「收容處」，因為會說英語、又能夠用英語教一點東西，大家就往我這邊推。有的學生應該去文學部，文學部不接受，就轉到我這裡，要我處理，說什麼經濟史也是歷史。也就是說，有些老師的工作分量特別重，其他人卻裝作不知道。恐怕各處也有這樣的問題。而且研究所本身並沒有應該有的留學生課程，日本的研究所又和美國不一樣，個人指導的色彩非常濃厚，因為學分少，也不是讓學生訂立計畫來教的制度。這樣子怎麼可能做得好呢？日本的研究所還有一種特性，就是讓學生待在老師旁邊耳濡目染，慢慢學習，對日本學生有效果，但留學生進來就是另一回事了。各位是怎麼做的呢？請給我意見。

櫻井：廣島大學的喜多村和之先生曾以文部省的科學研究費進行「關於大學國際化的綜合研究」計畫（昭和53～55年度），其中一部分是針對就讀全國14所國立、私立研究所的外國留學生（對象1,114人，回答者490人）進行調查，而得出以下的結果。

研究所的外國留學生與主要在大學部教課的外國教員相比，對研究所教育的不滿程度較低，給予的整體評價也較高。可是這並不表示日本的研究所教育沒有問題。對於日本的大學教育，他們或多或少都有與外國教員類似的疑問。

根據喜多村先生另外所做的對日本國公私立大學的專任外國教員所做的全面調查（對象684人，回答者371人），出現的共通意見有：「日本的大學教員有重視研究甚於教育的傾向，為授課花的心思比專門研究少」、「日本的大學課程沒有系統化、結構化的課程，授業科目編製和授課時間表偏向於迎合教師的專門興趣或方便，而不是學生的需求」、「日本的大學授課型態或教授方式、授課時間表等單調僵化，教師之間也幾乎沒有與改善授課有關的討論或調查，完全不把學生對授課的意見或批評反饋到授課上」等。

研究所的外國留學生除了這些意見之外，也認為有「日本的大學授課主要是單方面的講課和指導，缺乏老師和學生之間的討論、對話和坦率的意見交換」、「專題討論課或研討性授課會多半流於外語文獻的逐字翻譯或解釋，而不是有活潑討論或創造性思考的場所」、「日本的研究所除了研究內容之外，也應該指導研究方法」、「研究所應該更重視課程修業（course work）」、「日本的學位審查標準和程序應該要更明確、更公開。希望日本的學位水準、取得方法和手續能夠與歐美各國的類似、一般而言，要取得日本的學位（博士），尤其是人文、社會科學系方面極為困難，制約了留學日本的價值」等問題。

這些意見不能只輕易地說「有道理」而接受，但也讓人覺得日本的大學教育在國際通用性上有缺憾。

鳥羽：這些意見都很對，日本的大學國際化似乎不是對外的事情，而是我們本身的問題。

戴：立教大學對亞洲的窗口還很窄小，仍以歐美為主。

有趣的是美國來的學生多半學的是日本文學、日本史。我是屬於文學部。然而日本文學、日本史的老師絕大多數都沒有留學外國的經驗。這麼一來，就算有這個心，也不知道要怎麼因應，譬如有的會去擔心英語能力的問題，而覺得困擾，以種種方式反彈還很強。這一點真的應該要多多宣導，請他們抱著自信用自己的語言去教導。這一點很重要，之前提到的日語問題也是一樣，既然他們是來日本學習的，就大大方方讓他們來學日本文學、日本史，不必太嬌寵，用愛去鞭策，老師們擔心的狀況就會少很多。

我覺得理想的狀態是亞洲已增加了日本研究講座。日本老師出國講學時，其實不一定要用英語上課就好了。然而東南亞設置的日本研究講座幾乎都是用英語授課，這就是為什麼文學部的日本教師沒有機會去外國做文化交流。沒有機會的話，國際交流的範圍就會縮小，這種狀況也有問題。

鳥羽：我經常在說，研究日本的人最應該在年輕時出國，但他們實際上都不出去。也許是因為沒有機會，或缺乏積極性。

另一個問題是不了解外國，就算能夠溝通，理解的程度也不夠。

還有，歐美先進國家的留學生多半是來研究日本文化，而集中在文學部。可是開發中國家都是理工學系或經濟、商學系。也就是說，文化和科技分得很開。

留學生的學位、回國後的問題

川田：關於研究所程度留學生的接納，我想拜託日本各大學的文學部頒發文學博士的學位。我還在東大經濟系時，曾聽到文學部某位老先生批評經濟學研究科教育出太多經濟學博士。我就對那位老先生說，文學部頒發的是「大」文學博士，經濟系頒發的是「小」經濟博士，請他不要介意。可是亞洲來的留學生在文學研究科待了好幾年還拿不到文學博士回國，真的會很困擾。為什麼日本各大學的文學部都不肯給文學博士呢？像日本的經濟系、法學系都慢慢願意給學位了，唯獨文學部幾乎可以說所有大學都不給。剛才提到的洛馬納之所以拿得到文學博士，原因應該是他念的不是上智的文學研究科，而是外國語學研究科。來日本拿不到博士又有什麼用呢。

山田：關於川田先生說的學位和語言的問題，並不是所有教員都願意對國際交流敞開心胸。所以接納亞洲學生還有一個問題，就是需要展開教員的文化革命。（笑）

鳥羽：還有一點是文學部的老師會說，美國人、法國人竟然寫得出這麼好的論文。可是那些人是第三代、四代的日本研究學者，像Reischauer先生就是第二代，但東南亞來的人是第一代，水準當然會有差，那些老師卻以同樣的標準去看待。我不知道外交政策是否應該影響學術圈，但這些老師缺乏培植人才的想法。亞洲人來到日本之前，根本沒有日本文學的東西可以閱讀，美國則有訓練的地方，拿歷史來說，從地區研究到個人研究都有。希望他們能了解這一點。

戴：接著要思考的是日本社會在培植人才時的具體內容和意義。我自己當過留學生，說到整個日本社會的氛圍，感覺大致上是一種「嬌寵」的照顧方式，以日本式的亞洲主義徹底嬌寵。我向來很反對這種作法，因為會把人寵壞。但另一方面這個社會只把門檻提高，不易接納，也無意培植。或許是因為這些事很麻煩，日本的大學似乎不是培植學生的場所。或許我說得太過頭，但就像剛才說的，大學只是篩選的機關。現在大家都在爭論偏差值的問題，但接納大學生的企業這邊大概不希望他們在學校念太多書吧。最好是充分享受校園生活、大學的氣氛，交交朋友，加強麻將功力（笑），以後進入公司，再以兩三年的時間徹底訓練他們當「齒輪」。當然，自然科學系是例外。

鳥羽：這是因為企業不信任的關係。（笑）

戴：就因為這樣，要入學很困難。對亞洲來的學生來說，日本的入學考試門檻非常高，本來應該要對他們降低門檻、追求可能性，採取培植人才的態度。可是日本社會這種入學很難、畢業很容易的制度，如果不思考在日本全體社會之中如何改善的話，或許大學部以後不要收留學生比較好。

鳥羽：缺乏用課程培植的制度時，願意去培植人才的人會不會嬌寵留學生，我們不知道，但只有個人善意的話，就只會集中在特定的人身上。

川田：確實在日本傳統的氣氛中，就算學生沒有博士學位，也會有人幫忙找工作。但不論是亞洲還是美國，學位是學者的必要條件，在日本也許去大學教書不需要學位，但對於認真得到學習成果的留學生，至少也要頒發學術博士，否則他們不僅可憐，也會對不起他們。來日本辛苦念書念了那麼久，還拿不到學位，早知道就應該去美國留學。

鳥羽：我就遇到一個例子，一個已經來四年的馬來裔馬來西亞人，他應該要去文學部的，卻進來我這裡。他入學考試考了兩年，第二年因為差一分而得落榜。我是委員長，就決定多給他一分。好像有很多人在事後批評我，可是不這樣的話，他就要被趕回馬來西亞了，所以我用權限讓他入學。這名學生在今年三月結束碩士課程，回國後寫了一封信給我，說他將要在馬來亞大學教商業管理，名字已經在報紙上出現三、四次，說他是First time in Malaysia teaching on Japanese management，信中充滿驕傲。如果當初以一分之差把他趕走，馬來亞大學就不會有日本的管理課程了。要培植人才就要有彈性，日本人應該不缺乏彈性，但我總覺得不夠通融。

川田：倒是東南亞那邊有了改變，留學日本，得到成果以後回去時，開始受到歡迎了。像洛馬納一開始就能夠在La Salle大學當準教授，讓我很驚訝。以前要不是美國留學回去的，根本不可能。

櫻井：一般而言，我感覺歐美的公費留學生和以亞洲為主的開發中國家的留學生似乎有不同的目的意識。大致說來，歐美學生以「研究留學生」把重點放在蒐集資料與自己的研究題目上，回國後多半會在母校取得學位。但開發中國家的學生即使是「大學部留學生」，也大多會希望透過學習技術或知識，在日本的大學取得碩士或博士學位。背負著日語這種障礙，通過想讀的大學碩士課程入學考試，修完後還要繼續念博士課程的話，需要相當多的努力、時間和學費。取得博士學位的外國留學生大多是私費留學生，這終究和長期居留所需的費用脫不了關係。

設立私大獨身的接納留學生機構

戴：身為老資格的留學生我有想拜託的事，我的感覺是私大的學費貴得要命是沒辦法的事，生活費也很高，居住方面最大問題是房租很貴，情況也不好。能不能設立一種像British Council之類的機關提供支援呢？我想每一所私大都有自己的作法，但純粹仰賴個人的善意，可能會變得太嬌寵，或只是在表現很有限的個人心意。如果能超越個人或個別的大學，與文部省保持中立的、能照顧留學生的機關是最理想的。私大自己接納留學生的體制中，有一個問題就是學費。如果能建立對外國留學生確保免除學費的名額就好了。近來出現國際扶輪社、東急等獎學金制度，非常感謝，但這些獎學金也都偏重官學或所謂的一流大學。

山田：延伸戴先生的發言，就是私大與國立大學不同，我們必須考慮到，要接納什麼樣的留學生，或是做到什麼樣的學術交流。

要這麼做，就必須有私大自己的基金。如果是國立大學，就會受到日本外交關係的限制。但我們私大就不見得要被外交關係綁住。沒有邦交的國家、難民等或許只是周邊的問題，但都是私大可以獨自去做的領域之一。

川田：早稻田和慶應從以前就一直在留學生問題上著力，以後如果能像山田先生說的，組成私大聯盟之類的機關，由各大學出錢合作，是相當好的一件事。

鳥羽：是的。常有人說「私立比國立有彈性」，其實不然，國立拿到政府的預算就可以一直往前衝，像留學生會館已經蓋了很多，私立就只有一點點——沒有錢做。與其說是沒有錢，不如說是大家都只會為自己爭取，而很難形成共識，集中資源。因此如果要活潑運作，就要像剛才川田先生說的，組成財團或聯盟，再接受一些機關的補助，以特殊用途的經費去做，否則我覺得會被各校吸收掉。

另一個要注意的是教育方面的量，量確實是好事，如同戴先生說的，亞洲人和日本之前老是透過西歐的窗口去看彼此，而不直接對視。但一旦開始交流，就是直接對視了，量的增加是非常好的事。但如果不同時提高質，最好的人才還是有可能跑去歐洲。

戴：這要看是否容易進來，或是能不能建立有魅力的接納體制。

未來日本的大學方針

鳥羽：未來的時代必須要靠日本各大學的學術水準或文化魅力來吸引留學生進來。座談會結束的時間快到了，請大家發表最後的意見……。

山田：我要針對以後日本的大學對亞洲擔負的角色，或是範圍大一點的日本角色提出一點意見。每次談到這方面，我都會想到1896年孫文在英國的流亡生活。他看到英國資本主義的力量，也因此認識到英國資本主義所產生的矛盾，而形成他的三民主義思想。他所面對的問題是中國要如何像英國那麼強大，以及如何避開英國產生的矛盾。同樣的，我期待亞洲留學生在認真評價日本發展的同時，也能順便了解日本所具有的矛盾，然後根據這兩個面向，讓亞洲各國提供能避開日本所具矛盾的新社會模型。只是這需要很長的時間才做得到，目前看起來那或許是太抽象的期待，但這樣的期待是放在接納亞洲留學生三、五十年之後。要是日本的大學能為亞洲留學生提供這種場地，是再好不過的。

戴：接納留學生時產生的衍生效果也不能忽略。不只是學問而已，像我的研討性授課會就因為有外國出身的學生參加，而變得很活潑。除了生活上的交流，學生也會把留學生帶回家，或是去拜訪留學生在故鄉的家。年輕的一代可以因此獲得許多寶貴的交流。希望閱讀本誌的諸位先生都能夠了解，光是交流這一點就很寶貴。

鳥羽：我那邊也有韓國學生進來，而在暑假時18個人一道去韓國旅行。

不要有剛開始提到的錯誤觀念，我們也是必須學習的。

櫻井：在「亞洲與日本」的脈絡下，思考東南亞來的留學生問題時，還是會碰到日本的大學要如何國際化這一點。除了站在日本當然要有日本獨自的教育方式這個前提，也必須思考日本的大學要怎麼做才能「亞洲化」。我認為那並不是用外語授課，或是設置國際部的問題，而是要先建立與對日本學生的教育有關聯的更基本的構想，才去實行是必要的。

川田：參加這場座談會，讓我再度體認到留學生問題的困難。請私大聯盟也繼續留意這個問題的重要性。

鳥羽：今天聽了大家的意見，得到的結論是，我們聽到「Look east」或「Study Japan」時不能只是高興而已，也必須

Look East，Study the Asia，否則無法交流。

各位先生在百忙之中撥冗參與，非常感謝。

本文原刊於《大学時報》第31卷第166號，東京：社団法人日本私立大学連盟，1982年9月，頁14～32

亞洲和平的推手
——被分割國家的人民對日本的要求座談會

◎ 劉淑如譯

時間：1982年8月2日

地點：國際文化會館

與會：陳若曦（作家）

曹瑛煥（亞歷桑那州立大學教授）

戴國煇（立教大學教授）

本座談會邀請到出身台灣、經歷過大陸文革的女作家，以及出身韓國、赴美研究的學者來共同探討東亞的安全保障問題。

變貌的祖國

戴國煇（以下簡稱戴）：陳女士是出身台灣，現在擁有加拿大國籍，目前工作主要是在美國的柏克萊加州大學，是少數能夠正式訪問台灣和中國大陸兩邊的女作家，她以文革體驗為基礎所寫成的著作集《耿爾在北京》在日本也擁有很多讀者。另外，曹博士是出身韓國，他的國籍和工作都是在美國，聽說他曾經訪問過北韓及南韓，還有台灣和中國大陸兩邊。對於出身台灣的我來說，我認為這是非常特別的組合。

曹瑛煥（以下簡稱曹）：1974年我訪問中國時，也順道在二月第一次訪問了平壤，第二次是在1997年8月底，當時我恰巧在蘇聯參加一個學會，於是有機會在回程時經過。

雖然我專門在研究中國問題，但一直無法前往中國大陸，所以我就嘗試在台灣、日本做研究。日本是自1969年起即來得比較頻繁。1970年代初期，美、中開始有了接觸，我們這些學者便有機會拜訪中國大陸。

我就來比較對台灣、中國大陸、南韓、北韓的印象吧！

以經濟面來說，台灣是最富裕的，它的物價只有東京的一半以下，所以很適合居住。不過，不知道是不是因為與大陸之間的關係緊張，人們都不想針對政治問題發言。表面上社會沒有爭論，很安定。另外，貧富差距也從最初的5：1，縮小到現在的4：1，20%是有錢人，20%是低收入階層，因此，在資本主義國家當中，可以說是差距最小的國家。美國認為台灣經濟的高度成長都要拜資本主義所賜，但台灣的政要都說，台灣的發展係得利於實施三民主義。

大陸方面，人民的素質比台灣低，生活水準也低。不過我的印象卻是感覺上氣氛沒有那麼糟，到處都可以看得到人們的笑容。

戴：您是指他們生活得很有尊嚴嗎？

曹：是的。後來我到北韓去，發現它的氣氛與中國大陸差很多。以聯合國的統計來看，北韓的國民所得比中國大陸的高兩到三倍。當然北韓遠低於南韓，儘管如此，我還是覺得中國大陸的氣氛比北韓好。

戴：要之，北韓的政治社會氣氛不太好，是嗎？

曹：是的。這是1974年的事，當時北韓的人專程送我到北京，我抵達北京之後，送我來的人對我說：「你已經離開北韓了，所以請老實告訴我你的印象。」於是我便這麼回答他——當我決定要把分裂・分隔國家問題寫成論文時，身為以朝鮮半島為祖國的一員，我常思考能否以面對統一且抱持希望的形式或方向去寫，但這次訪問北韓的結果，我的心情甚至已經變得不想再用「統一」這個字眼了——可以說我是徹底失望了。於是那個人便強烈批評我說：「1973年你在巴黎召開的東洋學者會議上說，在日朝鮮人時間一久應該就會歸化日本吧！最後他們就不得不選擇與在美國的亞洲人一樣的生活方式。對於你的發言，北韓出席的學者批判你沒有民族意識和精神，我也完全同意。」我的民族意識和精神問題是另外一回事，但有關統一，在訪問北韓之後，我的想法到了悲觀的地步，這倒是事實。

接著是有關南韓。南韓我每年都去，做為一個學者，不只是看它的優點，儘管友好，但仍以批判性的眼光去觀察，也就是我想做「善意的批判」。南韓的經濟發展雖已經達成，但老實說，貧富差距太大了。台灣從5：1縮小到4：1，而南韓則是15：1。盼望能平衡地綜合性的社會發展是個課題。

戴：陳女士您是今年〔1982〕3月訪問台灣，然後一直到6月26日的42天期間又在中國作家協會的招待下訪問中國，請問您幾年沒去大陸了？

陳若曦（以下簡稱陳）：十年。這趟相隔十年的大陸訪問，是由上海進入，去了無錫、蘇州、杭州、南京、安徽、成都、重慶，然後搭船經由三峽前往武漢，接著從武漢飛到北京，之後再從上海來到日本。

42天的旅行當中，我所得到的一般印象是，與我居住的文革期間相比，氣氛很愉快輕鬆，市場繁榮，購買力也高，不過供給力則是有些不足。

另外，我還拜訪曾任教的南京華東水利學院，在朋友家裡住了約一星期；在杭州時，也有三天是住在剛從美國回來沒多久的朋友家裡。從這些接觸和體驗，我了解到大陸知識分子的生活感情是相當明朗化的。還有，他們似乎也都能相當大膽且自由地對上司提出善意的批評。令人驚訝的是，隨行接待我的幹部對現狀的批判完全與我同樣的立場，同樣的感覺。

接下來介紹我特別注意到的三個問題。

第一，中年知識分子及幹部的處境和健康問題。他們的工作在量方面，以及所需擔負的責任都很大。儘管如此，他們待遇的改善是最慢的，這個問題很傷腦筋，我的好朋友中，中年人的死亡率特別高，正如俚語說的「老的不死，死的不老」。（笑）

第二，所有父母們最關心的就是子女的教育及留學問題。父母親對像金字塔般「高貴」且狹窄的大學入學門檻有很大的焦躁感，他們重視子女教育的問題勝過自己的住宅問題。

第三，青年問題，我所指的青年是大約16到25、26歲的人。感覺上他們好像都陷入政治冷感，最關心的事就是升學和就業問題，我甚至覺得他們可以說就是生活在自我主義和物質享受的追求當中。文革期間就不用說了，即使與1950年代比較起來，也是天壤之別。與之有相關的是，由父母親所主導的奢華結婚典禮很流行，有人還花3,000到6,000元人民幣請客至少四桌（約40人），豪華版的還有人請到八桌；紅包也是一個人包20元人民幣，感覺上質實剛毅的「作風」不知道都跑到哪裡去了。

年輕人不只是陷入政治冷感，我覺得他們的自立心也在流失中。結婚應該是自己個人的問題，也應該是在個人的責任下去進行的才對，但是現在一切都轉嫁給父母親，變成父母親的責任，而且他們還會向父母親要求要準備家具或可能求得的所有奢侈品。有一句話很流行，說「結婚是需要36隻腳的」，也就是四隻牀腳、縫紉機的腳、四隻餐桌腳，總共需要36隻腳。（笑）

那些新人還說要蜜月旅行，還有，很流行請假出去玩。對國家或政治不關心的年輕族群的擴大化傾向，在我看來是一種危機狀況。不過大陸內部的父母親似乎看得很開，他們認為這在現今很普通，而且也是沒有辦法的。

戴：聽您這麼說，感覺上狀況與台灣並沒有什麼不一樣。請您順便也介紹一下台灣的近況。

陳：我離開台灣之後，於1980年回去已經過了18年。我自己對台灣在經濟生活方面驚人的改變感到很訝異，不過我認為有點太過浪費了。

台灣的年輕人與大陸一樣，對於升學、出國留學、就業問題非常關心，這些部分雙方有很多共通性。

有一部分的年輕族群擔心台灣的前途，他們積極地參加政治運動、發行雜誌、寫論文，對政治也持續抱持著很大的關心，其中有人被監視，一部分的人目前則被關在牢裡。我一直很肯定有這樣的一群年輕人。

因為經濟很好，所以在我的親戚裡面，有人完全不過問政治而專心集中精力做生意。對他們來說，台灣是非常自由的，有人還認為台灣是「天堂」。他們用賺來的錢開開心心地到國外去旅行，而這樣的年輕人不少人都對台灣的前途抱著不安的態度，也無時無刻處心積慮想辦法「逃到」外國。還有就是結婚問題，在台灣，結婚是父母親的工作及義務的一部分，不過與大陸不一樣的是，在台灣並不認為結婚是一個重大的問題。（笑）

意識形態的對決正解除中

戴：朝鮮半島、台灣和中國大陸在第二次世界大戰後的世界政治角力下，非常不幸地，到今天還是處於分裂的狀態。而且，大戰後長期以來日・美對北京的對立結構下，東亞非常的不安定，緊張關係持續存在。然而，1970年代，日本與北京政權之間簽訂《中日和平友好條約》，美國也與北京政權建立外交關係，而這兩件事，實際上意味著一個新的國際性因素已經發生在東亞的國際環境中。即使雷根政權與北京之間多少有一些問題，但雙方可以說大致是非對立關係。在這種狀況下，我們該如何思考包括日本在內的東亞國際環境呢？

曹：首先是有關分裂的問題。我的看法是，強國無法完全終結第二次世界大戰的善後，其結果，造成了分裂，接著形成冷戰局面。一般我們只將分裂的責任歸咎於冷戰的對立，但除了這不幸的事實之外，朝鮮動亂的傷痕在未來南韓・北韓的統一問題的協商上已成為最大的障礙，如果沒有發生朝鮮動亂，兩個政權的關係似乎不至於走到今天這麼艱困的地步吧！

冷戰的狀況現在根本還在持續當中，但它的樣貌則一直在改變。儘管中國與日本在近代史上幾乎沒有過友好的時期，但最近關係卻變好了。而且，戰後一直處於激烈對立的美國與中國也和好了，雙方關係變得很好。從這一點來看，我也確信朝鮮半島所處的國際環境已經明顯好轉了。目前美、中、日、韓的狀況就某個意義上，是處在反蘇聯體制的一環，而這可以說是不同形式的冷戰結果，但是我也略微感覺到雷根政權沒有口頭所講的那麼地反蘇聯。

戴：是雷根本身吧！

曹：是的。這個重要根據就是美國商務部所發表的最近兩年的貿易統計。美國在對蘇的貿易上所獲得的實際金額相當多，當然這其中有一部分是卡特政權以來所累積的，但雷根不就是基於政治性的目的而玩弄反蘇聯的修辭技巧嗎？在美蘇關係上，還是有可能會發生變數的。

目前日本、美國與中國（大陸）的關係與1950、1960年代相較，可說已經大幅好轉了，尤其如果從台灣與大陸的現狀來思考南韓與北韓的關係，那麼朝鮮半島的前途看起來似乎是有一點希望。

另外，我認為「統一」是一種宗教——說得更清楚一些，我認為它是一種「政治宗教」。我常常想像那些相關人士平時可能都把統一看成是一種「政治宗教」。

戴：在討論中國和韓國的分隔・分裂時，必須將台灣特殊的歷史狀況列入考慮。在國共內戰進入決定性階段前的1947年，來自中國大陸以國民黨系為中心的大陸出身人士進入台灣，台灣內部反對他們的民眾於是便發起反體制運動・暴動，也就是二二八事件。中國大陸與台灣分裂的這段歷史除了與朝鮮半島的情況不同之外，在台灣本省人與二次大戰後移入的以國民黨為中心的大陸人士，也就是所謂的外省人之間也一直存在著類似像疙瘩一樣的東西，也就是心理上的分裂，或者說是鴻溝。

陳：我想大家都希望台灣海峽的對立能夠從它是與亞洲和平，甚至世界和平息息相關的觀點，在和平當中獲得解決。

我是民族主義者，所以站在個人的立場，甚至長期來看，站在雙方的立場，我都希望大陸與台灣能夠統一，但我也不得不承認大陸與台灣已經分隔快三十年的嚴肅事實。

很多人都認同大方向・基本方向應該是要走向統一，儘管如此，還是有人持保留態度。急速改變台灣的現狀是不對的，在統一的問題處理上，尤其應該尊重大多數台灣住民的意志，有心人則是一再主張維持現狀。

另外，我本身認為鑑於雙方在體制、生活水準上存在著相當歧異的事實，急著且勉強去結合雙方既稱不上是賢明的策略，也很容易留下禍根。大陸近年來在制度的修正、生活水準的提升等方面有很大的成果，如果這些成果能夠持續展現的話，我認為就與台灣1960年代的階段很類似，也將有助於共同基礎的擴大。因此，首先雙方政府應該要積極推動藝文和體育面的往來，以加深彼此的了解。另外，雙方虛心坦懷地接受第三國的斡旋，成立互相認識的管道，這也沒什麼不好。

戴：有關外省人與本省人之間所謂省籍的矛盾和對立，陳女士您怎麼看呢？

陳：1950年代的確鴻溝是很大的。在我留美的1960年代的前半期，聽說矛盾對立或鴻溝漸趨緩和，並向著弭平的方向發展。互相通婚的事例增加，我本身就是與外省人結婚。

可惜的是，1980年我訪台時，卻感覺到1979年所發生的高雄事件（非國民黨集團即所謂黨外人士，誤判了美國與中國大陸建交所造成的國府劣勢，利用國際人權日在高雄舉行盛大集會，以爭取國府更大的讓步，結果黨外運動的領袖們被捕，入獄至今〔1982年〕），似乎再度點燃省籍之間矛盾對立的火苗。後來，今年春天我再度回台時的感覺是，緊張關係的氣氛已稍微緩和了，我相信並期待省籍矛盾透過政府當局對民眾態度的改善而獲得積極的解除。

曹：我為什麼把統一稱之為政治性宗教呢？儘管統一的實現性不高，但做為一種象徵和宿願，民眾仍有著強烈的願望。還有，雖然雙方的體制不同，但無論南、北都常主張統一，因此我才會認為那是一種強烈的政治性宗教。

再說得具體一點，與東西德統一的可能性相比，朝鮮半島統一的可能性比較高。若東西德的可能性是15％的話，朝鮮半島則是30％，而中國大陸與台灣應該是一半一半，似乎是50％吧！

在近代史上還沒有出現過原是處於對立關係的政權，形成分裂國家，而和平地完成統一的例子。奧地利可以說是一個例外。不過，我還是想斗膽地說，大陸與台灣之間50％的統一機率是有的。怎麼說呢？因為中國人民族歸屬性很強，而且時間觀念、歷史觀與其他的民族很不同。日本人屬於未來思考型的，傾向於盡量忘記過去，此一傾向在教科書問題中也可以看得出來。韓國因為在文化上深受中國的影響，所以與日本相比，對過去有所留戀的傾向可以說較強烈。

與上述有關的，乃是中國這個國家雖曾經發生過各種複雜的抗爭，但對政治的想法、研究方法有些不同。我本身問過中國的政治領導人（多人）各種問題，結果卻無法感受他們對統一有焦慮的徵兆，反而他們說：「你為什麼要焦慮呢？我們並不太在乎要等上10年、100年，因為從中國悠久的歷史來看，這不算是很長的時間。」另外還可以指出的事實是，長期住在國外的「華僑」就算歸化，與日本人或其他的亞洲人相較，基本上他們同化的程度不深。

同時擁有那種體質的政治領導人在談論統一時，一旦沒適當地取得平衡，就會行不通。以現狀來說，台灣與中國大陸的關係相當不平衡，在此一意義上，急著統一或許不可能，但的確是有一些進展。因為中國的政治領導人將自己的「歷史使命」看得很重要，他們擔心一旦放任分隔・分裂的狀況存在，完成自己的「歷史使命」的空間就會變小了。因此，就算是為了防止阻礙統一的要因擴大，也要某種程度的解決或為統一預留伏筆。我認為即使在自己的時代無法實現，似乎也要為了下一代做準備，因此我預測中國大陸與台灣統一的可能性高於東西德或朝鮮半島。

再提出一些我認為統一的可能性高的根據吧。經由香港的台灣與大陸之間的貿易已經高達78億美元，而且最近上海香港銀行也已經在台灣設立分行。

戴：不過，上海香港銀行目前是以香港做為活動中心的英國體系銀行吧……。

曹：是的。不過若沒有大陸的許可，香港政府不會也不能同意。在經濟面上，交流更加擴大，貿易的量也增加了吧！

再者，可看出美國政府的台灣觀有顯著的變化。美國很多官員都說，台灣與大陸之間意識形態有可能妥協。

戴：是美國官員說的嗎？

曹：是的。如果要他們說的話，他們會說，台灣與南韓相較，無論在思想上或社會上，都不是向資本主義一面倒。做為相當一般的社會現象，台灣的政治家並不會想和實業家、生意人一起照相……。基於三民主義，台灣政治家的傳統實業家形象，或是他們對生意人的態度，都異於南韓。在台灣，他們不會湊在一起，也不會在人前裝得很親近。在南韓，政治家與實業家・生意人的關係相當好……（笑）。實際上，最近國民黨的領導階層提到三民主義的次數顯著地增加。

而且，如果台灣與中國大陸之間的非友好關係持續太久，台灣內部希望獨立的人就會急速增加，軍方發動政變的可能性也就無法否定。蘇聯勢力也會有擴張之虞。如此一來，美國所期望的遠東秩序就會失衡。

戴：相反的，美國會變得不安，而試著讓雙方來到談判桌前。

曹：是的，所以美國即使不希望統一，似乎也希望雙方有某種程度的往來。現在大陸與台灣之間應該還是有一個經由日本或香港的熱線吧！即使現在沒有，最近的將來必定會有。

陳：我這次在北京與台連會（居住在大陸的台灣省出身者的團體）的人有接觸，根據他們的說法，葉劍英的九項提案相當展現出北京的誠意，他們說應該要以此為基礎進行交涉。還有人說，現在的憲法草案中有「特別行政區」規定，台灣也可以做為「特別行政區」等。

戴：曹先生剛才指出，美國當局現在對台灣海峽對立的永續化感到不安，陳女士您的看法如何？

陳：一般而言，在海外的中國人都認為美國既直接・間接促進了海峽兩岸的對立，現在仍然妨礙對立狀況的解除，直到最近，在各種壓力之下，我們總算才看出一些美國終於開始致力於調停以縮短兩岸距離的徵兆。無論如何，曹先生所講的對我來說都是相當的新鮮有趣。

戴：曹先生剛才介紹了美國高官的認為三民主義是統一的基礎，也似乎是緩和意識形態上對決的媒介。

陳：那種說法也有可能，而我也覺得很有意思，畢竟真正的三民主義就是社會主義，這種想法我以前就有。如果台灣實施真正的三民主義，就比較容易與中國的社會主義相符合，我認為目前逐漸在修正改良的中共的社會主義似乎接近理想的三民主義，例如現在實施的「耕地責任制」即是與三民主義的「耕者有其田」（將土地分配給耕種者）制度相近似。

海格的辭職與雷根的辯解

戴：目前官方方面，台灣與北京還沒有展開對話，金日成政權也說不與全斗煥政權對話，不過他們曾經有過對談。從中國人角度來看，朝鮮半島的對談正好可以成為台灣海峽對話的刺激點，尤其很容易給台灣內部的人帶來心理上的影響。但中國大陸權力大，所以民眾從一開始就很清醒，但連台灣內部擁有權力的國民黨中樞的大老們也想回大陸，因他們思鄉情切。

曹：朝鮮半島的南北會談的確刺激了台灣。我認為時間一久，北韓與南韓就會進入對談的階段，也會採與台灣・中國大陸相連結的形式進行。雷根的政策異於卡特政權，實際上其與北京有著深厚的關係。

戴：這麼說來，您覺得日本的報導有點錯誤？……

曹：是的。大陸買進很多武器，就統計觀之，貿易的質和量都較卡特時代擴大許多。我認為雷根在帶給台灣某些程度的安定感之後，就會更強勢地接近大陸。

中國大陸與美國的關係若獲得改善，美國想要透過中國去接近北韓就不奇怪了，而北韓似乎理所當然為了自我保護而希望展開中、蘇等距外交政策，甚至多元的外交關係。最後，美國也會促進南韓的軍事力近代化，並為了確保南韓的安定性而努力，且似乎是以同時進行嘗試與北韓接觸吧！

戴：我現在要講的可能有點前後失序，即對台灣內部統一問題的動向，針對與民眾相關的部分，請陳女士談談您的看法。

陳：我在台灣也經常與一些人談到有關和平統一的問題，我感覺民間的抵抗有減少的傾向。我的親戚們說，由於現在大陸與台灣的生活水準有相當大的落差，就算暫時必須擱置這個問題，大部分的中下階層也不會在意，他們說，無論是哪一邊統一哪一邊，阿國（國民黨）也好，阿共（共產黨）也好，與我們都沒有關係，反正我們也沒有打算要當官，我們不也一樣是老百姓！由這一點可見，民眾對於統一問題的抵抗感會比較少。還有，外省友人則公然地說，無論如何我們想早日回到中國大陸，想見到故鄉的親戚。

同時，大陸方面的氣氛也變很多，他們現在一面對於台灣相當客氣，一面又展現友好理解的態度。

戴：接下來有關統一的展望，也請您做個評論。

陳：這似乎有矛盾，我認為統一是容易的，也是不容易的。容易的理由是，所有的中國人都有強烈的歷史歸屬感和落葉歸根的傳統觀念，由此看來，海峽兩岸的中國人遲早一定會統一，這是容易之點，只是時間的問題。我想今後大陸政權大概不會改變，不過台灣政權則是有不好解決的繼承問題，難以預測其變化。統一是否很快？容不容易？不再稍作觀察，是無法斷定的。

至於統一是不容易的，其原因之一是因為生活水準的差距，另一則是長期對立的意識形態。所以，若要短期間統一的話，必須相當努力才行。

戴：美國副總統布希訪問北京的同時，高華德（B. M. Goldwater）好像去了台北吧（今年5月）！聽說他還掉下眼淚。

曹：台灣的美國說客活躍的程度似乎僅次於猶太人吧！台灣大致是基於此而招待且盛大歡迎高華德夫婦。他聽到雷根政權的對北京新接近政策很生氣，於是直接去見雷根總統表示抗議，結果雷根安撫他。雷根提到了「第二上海公報」〔譯註：指中美於1982年8月簽訂的《八一七公報》〕（據說主要內容是要以某個時期做為區分，停止對台灣的武器援助等）的制訂云云，安撫說那並沒有經過他的許可而談論，其內容，他仍不很清楚。其次有關國務卿海格的辭職則有各種波折，其中之一的小原因乃是雷根跳過海格（Alexander Haig）的頭上，從國務院方面洩漏了「第二上海公報」制訂的準備・進行一事感到厭煩。

當我們認為海格的辭職與雷根的辯解使狀態有一點穩定之時，奇怪的是，最近白宮的總統幕僚卻再次提到處於《台灣關係法》與《上海公報》中間程度的內容已經準備了。因此，在雷根安撫高華德的階段，雷根是真的不知道其間的原委和內容，或者他是知道的，只不過巧妙地運用演員的修辭特技去安撫他呢？這一點我也不清楚。我想說的是事實上雷根政權對北京的態度並非如他口中所說地那麼頑強，以及他與國府台灣之間的關係也不是無條件親密的。

陳：聽完曹先生剛才所說的，再重新想想這兩年來雷根政權的動向，我發現美國政府現在不但不是一個阻礙，且正在成為一股促進和平統一的力量。

東亞的安全保障

戴：我想將東亞的安全保障放在包括日本、台灣海峽、朝鮮半島在內的框架下去思考就會發現，現在反蘇・防蘇已經成為中心的樑柱，在這個構圖下，日美關係暫時是一個基礎，而其外圍則有中美及中日關係。從意識形態來說，反共的問題仍然存在。當我們現在暫時以反蘇・防蘇政策為中心去思考時，雖然台灣與大陸、南韓與北韓的對立、分裂狀態難以改變，但我們也不知道它對立的狀況是不是正朝緩和的方向發展。

曹：剛才我有稍微提到過，我感覺最近已開始出現讓對立緩和的嘗試和傾向。

戴：已經出現了嗎？

曹：是的。最近的國際政治的實況主要是以經濟問題為中心，而非意識形態。中國、日本、蘇聯都不太會去注意到意識形態，美國當然也是如此！因為經濟資源問題已經成為最值得關心的重大事情了。美國在言辭上提倡反蘇聯合，主張日本、歐洲要協助美國，然而，為了美國的景氣復甦著想，並不希望日本、西歐與蘇聯保持太密切的經濟關係，我甚至認為這似乎是雷根政權的本意，這個本意投射在政治上，可看到反蘇聯的態度。

美國對國內的說明如下——蘇聯變強大了，所以美國的安保有危險。然而事實是，一旦全部將北大西洋公約組織等西歐的勢力集結起來，相對於蘇聯的一國，自由陣營就變成四國左右了。表面上美國總是說其相對於蘇聯，是處於劣勢，實際上美國並沒有如此感到受威脅。

充分掌握上述狀況後再來看東亞的國際政治・國際關係，我認為1950年代的緊張關係應該不會再出現了吧，其中尤其北韓與南韓之間，雖然一般認為還是處在戰後冷戰以來的極端對立狀況，但我的看法是，北韓終究還是會選擇緩和緊張局勢而邁向對話之道。眾所皆知，在東西德就算有人敢提出統一的課題，也是不可能的，雖然表面上大家都不明說。因此像現在包括東歐和蘇聯在內的許多國家，都已經開始互相承認東西德雙方的政府並展開對話。其間的狀況，北韓也相當了解，只不過目前內部還有一些情況，所以還無法與南韓總統全斗煥對話。但我認為，如果南韓未來比現在更安定的話，由於沒有其他的方法，所以還是會進展到對話的部分，就像季辛吉之前所主張的，中國和蘇聯承認南韓，美國承認北韓，雖然很難預測要等到什麼時候，不過已經可以開始看到一些徵兆了，也就是說，交叉壓力、國際性的多國性壓力正逐漸形成。

戴：也就是說，多層壓力的形成將有助於緊張局勢的緩和。

陳：討論有關亞洲地區的安全保障問題時，我們常太過度在意美國或蘇聯了。亞洲的和平，應該要仰賴亞洲人自己的努力，也應該要徵詢亞洲人自己的意見。首先最重要的，是亞洲人的相互理解和交流。我認為扮演促進亞洲人相互理解和交流的最適當的國家是日本，我相信以日本的國際地位和經濟力，將能夠充分扮演好這個角色。

今天我們從政治面談論了很多分裂國家要如何和解的問題。我本身是從事文學工作的人，因此我確信自己也可以從文學方面促進亞洲地區的相互理解。就我所知，日本的文壇或出版界介紹了很多美國和歐洲的作品，動作也相當地快；相對的，日本對韓國、台灣或中國大陸，甚至東南亞各國的作品則沒有那麼熱中。我知道去年日本召開一場第三世界作家的會議，我的朋友也有出席，據說會議的內容似乎很精采，但不知道是不是因為宣傳不夠的關係，它的影響好像不大。

若將我的願望做個整理，第一，亞洲人必須自覺到唯有自己才是決定亞洲地區安全保障的主人翁；第二，必須從各方面促進相互的理解。至少應該透過文學將亞洲人的心連結起來，並加強作家之間的連帶感。而且我期望日本能扮演其主要的角色。

曹：關於北韓，我想補充說明。中國東北與北韓的國境是閉鎖著的，往來似乎沒有那麼地自由，換句話說，雙方的關係是呈現緊張的狀態。因為住在中國的韓國人比較幸福，生活得很不錯，所以一旦雙方往來變得頻繁，北韓將會感到困擾。而且，如果北韓那邊成立類似朝鮮總連的組織，中國這邊也會感到困擾，因此雙方好像已經共謀妥協。根據某一情報顯示，中國的解放軍已經招待北韓的重要人士說明中國的反蘇體制，北韓因此了解了中國的立場，而不成立像朝鮮總連那樣的組織，中國方面也決定盡量不要讓中國這邊的人進到北韓去。

北韓可說是一個過度緊張的國家。現在也有繼承人的問題，局勢是相當地緊張。緊張過度，就只能採取對立僵硬的政策，這對東亞的安全來說是最危險的。我認為為了緩和孤立感，日本也應該要考慮進行某程度上包括技術在內的支援，甚至進行文化面的交流和接觸。

教科書問題

戴：接下來是有關教科書的問題。我想問題的核心在於它所流露出來的日本人對亞洲的觀感，而非語言層次的問題。更重要的是，雙方必須思考彼此應該要如何去活用那段不幸的歷史做為教訓，並建立更好的睦鄰關係，反而如果能以這個問題為契機促進東亞的相互理解，是很好的事。

曹：我對教科書的問題相當關心，而這也是因為無論政治制度如何，和平、安保最終都是要看一般民眾是如何理解鄰國、他國，因為這將是一個基礎。

首先，最初文部省的答辯可說相當沒有遠見，對東亞以外的人們而言，也很難以理解。另外，過去我認為日本和日本人在大戰後變了，但其他國家的人似乎都說日本過去的民族意識、國家主義仍根深柢固地存在，當反映在教科書上。我認為對於經濟摩擦正劇烈的日本而言，這是一個值得憂心的問題。

教科書由政府管理的這件事情本身就是不好的，若我是文部省的立場，首先，就算歷史的敘述有問題，也不應該直接要求改訂，而應該要先活用獎學金、研究費等，請學者、學會進行深入的研究。雖然本來結果不一定都是對政府有利的，但至少可修正分歧之處。具體來說，法國和德國的例子就很值得參考。這兩個國家由於在近代史上彼此都曾經互相侵略過，所以他們就成立一個類似兩國的學者協會，討論教科書方面的問題。彼此的主張雖然不同，但某種程度順利地進行，德國為此還設立完備的研究機關，而法國也有跟阿爾及利亞協商的例子。剛開始時，法國並沒有將阿爾及利亞的獨立運動領導人當作愛國者，然而，由於彼此有了接觸，數年之間，法國承認殖民地政策之不是，並重新將獨立運動家描述為愛國者。

若稍加擴大而言，日本的大學等的研究態度也有問題。我所屬的亞歷桑納大學使用在墨西哥研究上的經費，遠多於東京大學使用在韓國研究上的，雖然住在日本的外國人中，最多的就是朝鮮人。但即使是教韓文的大學，也為數甚少。而且，在亞歷桑納州的州慶上，白人和墨西哥人都會一起跳舞，但在日本，日本人和韓國人卻不會那樣地交往，就連冠上「亞洲」兩個字的刊物，很多也沒有將韓國或朝鮮定位為亞洲來處理。

陳：對於教科書問題，我當然覺得很遺憾。在中國旅行期間，我曾經聽到這則新聞，中國人民，尤其是住在南京的人，他們非常憤慨。南京人只要一提起日本，就會想起南京大屠殺。雖然中國民眾對這個教科書的問題感到憤慨，但政府則是採取比較冷靜的態度，只在報上報導事實而沒有大肆宣傳。如果是文化大革命時期，一定會利用集會或抗議示威等方式擴大事態吧！

不過，我覺得海外中國人的反應也太過於冷漠，我認為在日華僑應該要大舉抗議，而他們有抗議嗎？要是有的話就好了。更令我感到遺憾的是，日本雖然已經是一個經濟大國了，但日本現在的政府對於過去的政府所做的事竟採取侏儒的態度——即認為現在的政府不必負責任。另外，我認為日本教科書的作者們欠缺道德勇氣，而這完全超乎我的想像，很遺憾。

曹：在日本年輕一輩的韓國人中，有愈來愈多的人並不堅持非得要擁有朝鮮籍或韓國籍不可，因此我希望日本方面能夠考慮成立可以促進他們交流的文化機關。另外，我也希望他們能夠接受北韓的留學生。做為一個經濟大國，我希望日本能夠表現出這個肚量。

本文原刊於《中央公論》第1155號，東京：中央公論社，1982年10月，頁182～194

譯者簡介

李毓昭

1961年生。中興大學社會學系畢業。曾任出版社編輯，現爲專職譯者。譯有：《銀河鐵道之夜》（晨星）、《顏面考》（晨星）、《霍去病》（實學社）等。

章澤儀

1971年生。政治大學資訊管理學系畢業。曾任職出版社、網路科技公司及廣告綜合代理商，現爲專職自由翻譯。自1993年起從事英、日文筆譯。譯有：《大地的咆哮》（玉山社）；小說《熾熱之夢》（蓋亞文化）、《鹽之街》（台灣角川書店）等。

陳仁端

1933年生。中興大學畢業，日本東京大學大學院農學博士。曾任職於台糖公司花蓮糖廠、日本大學教授。譯有：《土地利用の経済的研究：台中（台湾）地域における》（東京：農政調查委員会）等。

蔡秀美

1981年生。台灣師大歷史學系博士候選人，專攻日治時期台灣社會史。譯有：〈殖民地統治法與內地統治法之比較：以日本帝國在朝鮮與台灣的地方制度爲中心的討論〉、〈關於《隈本繁吉文書》——殖民地教育資料之介紹〉等。

劉俊南

1930年生。日本中央大學經濟系畢業，曾任中國通信社總編輯，現爲日本中國語翻譯社董事長。譯有：《周恩來傳》（上下，岩波書店）、

《周恩來與我》（NHK）、《毛澤東側近回想錄》（新潮社）。

劉淑如

1970年生。淡江大學日文系畢業，日本北海道大學文學研究所博士。研究領域爲日治時期台灣文學、日本近代文學，現任南台科技大學應日系助理教授。譯有：《夢境366天——現代解夢手記》（遠流）、《透析企業價值組合策略》（遠流）；〈動畫／動作／物語〉等。

劉靈均

1985年生。現爲台灣大學日文所碩士生，專攻日本殖民地時期詩歌，並任中國文化大學推廣教育部、台北市立成淵高中等兼任講師，兼職日語口譯及筆譯工作。譯有：《第九屆亞洲兒童文學大會論文集日文版》（共譯，台東大學）、《歐洲統合史》（共譯，五南）。

蔣智揚

1942年生。台灣大學外文系畢業，美國西海岸大學電腦學碩士。曾任職大同公司，現專業翻譯。譯有：《不老——新世紀銀髮生活智慧》（遠流）、《閒話中國人》（馥林）等。

謝明如

1980年生，台灣師範大學歷史學研究所博士候選人，專攻日治時期教育研究。譯有：〈日治初期的女子教育與女教師〉等。

（以上依姓氏筆畫序）

日文審校者・校訂者簡介

◆日文審校

于乃明

1953年生。東吳大學東方語文學系畢業，日本筑波大學歷史、人類研究科博士課程修畢，同大學社會科學系法學博士。曾任政治大學日文系系主任、外文中心主任，現爲政治大學土耳其語文學系代理系主任、外語學院院長。研究專長爲日本歷史、日本近代史、中日外交史。
著有：《小田切萬壽之助的研究——明治、大正時期中日關係史的一面》、《現代日文》等；〈中日韓歷史、文化名詞的譯與不譯〉、〈翻譯與跨文化研究——以《蹇蹇錄》中文譯文爲例〉、〈中日関係史の一側面——近刊盛承洪『盛宣懷と日本』の新史料を中心に（1908.9.2～1908.11.25）〉、〈歷史經驗與文化衝突——談日本首相參拜靖國神社〉等。

吳文星

1948年生。台灣師範大學歷史研究所博士。曾任美國哈佛大學及史丹佛大學訪問學人，東京大學、京都大學等校外國人客員研究員及招聘外國人學者，歷任台灣師範大學進修部教務主任、歷史學系主任、文學院長，現爲台灣師範大學歷史學系教授、台灣教育史研究會會長。研究專長爲台灣近現代史、中日關係史。
著有：《日據時期在台「華僑」研究》、《日治時期台灣的社會領導階層》、《台灣史》等；〈東京帝國大學與台灣「學術探檢」之展開〉、〈札幌農學校と台灣近代農學の展開——台灣總督府農事試驗場を中心として——〉、〈京都帝國大學與台灣舊慣調查〉等論文一百餘篇。

林水福

1953年生。日本東北大學文學博士。曾任輔仁大學外語學院院長、日文系主任、所長；高雄第一科技大學副校長、外語學院院長；興國管理學院講座教授；東北大學客座研究員等，現爲台北駐日經濟文化代表處台北文化中心主任。專攻平安朝文學、近現代文學，兼及台灣文學、翻譯學。

著有：《他山之石》、《現代日本文學掃描》、《源氏物語的女性》等；譯有：遠藤周作《影子》、《沉默》等；谷崎潤一郎《夢浮橋》、《細雪》等。並於《文訊》雜誌開設東京見聞錄，《聯副》開設東京文化現場專欄。

林彩美

1933年生。中興大學農經系畢業，日本東京大學農經系博士課程修畢。旅日長達40年，中華料理研究家，曾主持梅苑中華料理研究室（日本）二十餘年。致力於梅苑書庫的保存與研究，長期投入《戴國煇全集》的編譯工作。

著有：《中菜健康瘦身法》（文經社）、《新灶腳的健康料理》（文經社）等；主編：《戴國煇文集》；策劃：《戴國煇全集》等。

邱振瑞

作家和日本思想文化研究者，現任教於文化大學中日筆譯班，並從事翻譯及創作。

著有：短篇小說集《菩薩有難》；譯有：山崎豐子、松本清張、宮本輝等小說，鶴見俊輔《戰爭時期日本精神史》（行人）。

張隆志

1962年生。台灣大學歷史系碩士，美國哈佛大學歷史與東亞語言研究所博士。現爲中央研究院台灣史研究所副研究員。研究專長爲台灣社會文化史、平埔族群史、比較殖民史、台灣史學史及方法論。

著有：《族群關係與鄉村台灣：一個清代台灣平埔族群史的重建和理

解》；《坐擁書城：賴永祥先生訪問紀錄》（合著）、《曹永和院士訪問紀錄》（合著）；〈殖民現代性分析與台灣近代史研究〉、〈殖民接觸與文化轉譯：一八七四年台灣「番地」主權論爭的再思考〉與“Re-imagining Histories from Different Shores”等中英日文學術論文多篇。

（以上依姓氏筆畫序）

◆校訂

陳瑋芬

1970年生。清華大學中文系畢業，日本九州大學大學院文學碩士、博士。曾任日本福岡女學院兼任講師、台灣大學中國文學系兼任助理教授等，現爲中研院文哲研究所副研究員、中研院亞太區域研究專題中心合聘副研究員。研究專長爲近代日本漢學，儒學概念史，東亞思想文化交流。

著有：《近代日本漢學的「關鍵詞」研究——儒學及相關概念的嬗變》；〈西學啓蒙：中村敬宇和嚴復的文化翻譯與會通東西的實踐〉、〈由「天下」與「中國」概念的轉型看日本關於國際秩序的度量衡〉等，譯有《文明論之概略精讀》等。

戴國煇全集 23
【採訪與對談卷六】

著作人　戴國煇
策劃／總校　林彩美

編輯製作　財團法人台灣文學發展基金會
10048台北市中山南路11號6樓
02-2343-3142
編輯委員　王曉波　吳文星　張錦郎　張隆志
陳淑美　劉序楓（依姓氏筆畫序）
主編　封德屏
執行編輯　江侑蓮　王為萱
美術設計　不倒翁視覺創意

出版　文訊雜誌社
發行人　王榮文
發行所　遠流出版事業股份有限公司
10084台北市中正區南昌路二段81號6樓
（02）2392-6899
http：//www.ylib.com

排版　浩瀚電腦排版股份有限公司
印刷　松霖彩色印刷事業有限公司
初版　民國100年（2011）4月
定價　全27冊（不分售）精裝新台幣16,000元整
ISBN　978-986-6102-06-6（全集23：精裝）
978-986-85850-4-1（全套：精裝）

國家圖書館出版品預行編目（CIP）資料

戴國煇全集．18-26，採訪與對談卷／戴國煇著．
－－初版．－－台北市：文訊雜誌社出版；遠流
發行，2011.04
冊；　公分
ISBN　978-986-6102-01-1（第1冊：精裝）．－－
ISBN　978-986-6102-02-8（第2冊：精裝）．－－
ISBN　978-986-6102-03-5（第3冊：精裝）．－－
ISBN　978-986-6102-04-2（第4冊：精裝）．－－
ISBN　978-986-6102-05-9（第5冊：精裝）．－－
ISBN　978-986-6102-06-6（第6冊：精裝）．－－
ISBN　978-986-6102-07-3（第7冊：精裝）．－－
ISBN　978-986-6102-08-0（第8冊：精裝）．－－
ISBN　978-986-6102-09-7（第9冊：精裝）

1. 史學　2. 文集

607　　100001715